weird research

世界の
ヘンな研究

世界のトンデモ学問19選

サイエンスライター 五十嵐杏南

中央公論新社

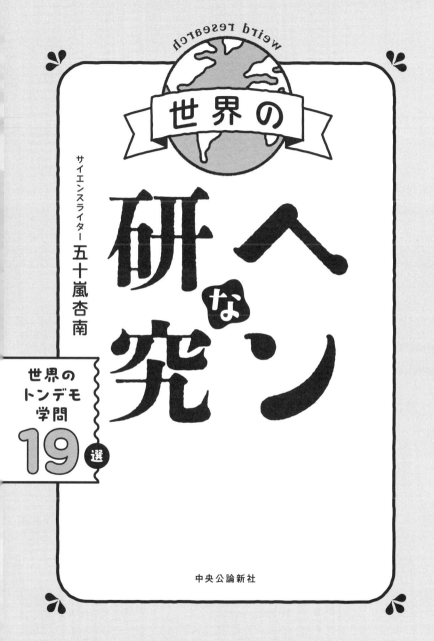

はじめに

本題に入る前に、少し自分の話をさせてほしい。

小学生の頃アメリカに住んでいた私は、日本に帰国したての小学6年生の終わり頃、いろいろなことをしでかした。

まず、テストの文章問題が上手く理解できず、偏差値30をとり、親の白髪を増やした。クラスメイトの服を「派手でいいね！」と言って、軽く泣かせてしまった。そして、中学に上がる時、自己紹介で「特技は乗馬です！」と言い放ち、ドン引きされ、危うく初っ端から村八分の刑に遭いかけた。中学生がそのようなことを言うと、このあたりに住む人にとってはお嬢様自慢に聞こえることは、しばらく後になってから知った。

かれこれ20年近く前の話になってしまったが、この場を借りて弁解させてもらおう。私の場合、ただ単に馬がそこら中にいる環境にいただけなのだ。

私が子供の頃住んでいたのは、ケンタッキー州という、アパラチア山脈の麓《ふもと》のとんでもない田舎だ。ケンタッキーの数少ない名物は、某ファストフード店に加え、ケンタッキーダービーという著名な競馬のレース。おかげで馬はあちこちにわらわらといる。人よりも馬のほうが多い、と言われるくらいだ。実際、住んでいた住宅街の裏では馬が放牧されていた。だから乗馬も、定番の習い事として定着していて、ピアノを習っている子よりは、乗馬をやっている子のほうがはるかに多かった。

それだけ馬が地域に定着しているだけあって、当然のごとく、ケンタッキーでは馬の研究が盛んなのである。とにかくお金が大きく動く競馬界のことだ、ホースシュー（馬蹄）から体調管理まで、緻密に研究がなされている。本気を出して遊ぶには、もっと本気の研究も必要なのだ。

このように、「所変われば品変わる」というのは研究の世界でも言えることで、世界は風変わりな学問にあふれている。というか、当事者にとっては生活の当たり前の一部なのに、地域性があまりに強いが故に、外から見てみたらちょっとヘンなものがたくさんある。本書では、世界の各地域で、その地域だからこそ行われている学問（研究）について紹介する。

Ｐａｒｔ１では、主に娯楽に関連したものを取り上げた。学問とはほど遠いと思われる分野でも、必ず科学の要素が含まれている。舞台裏を覗くような気持ちでお読みいただけたらと思う。次のＰａｒｔ２では、世界各地の気候や地理などの環境要因に属したものを紹介する。日本で暮らしていると考えられないような驚きも交えて、読み進めてほしい。続くＰａｒｔ３では、地元産業と関係が深い研究をピックアップした。時代の流れに翻弄されながらも、地域に寄り添う研究の姿が伝われば、と思う。最後のＰａｒｔ４では、日本ならではの学問を取り上げる。日本の今と昔、そして地理的条件が生む珍しい研究も、改めて客観的に見るとエキゾチックだ。

世界は狭いようで広いので、ここに登場するのは、世界のヘンな研究分野のほんの一握りのはず。軽くかじるくらいの気楽な気持ちで、お楽しみください。

目次

weird research

Part 2

Part 3

地域それぞれ、寄り添う研究

Part 4

日本にもある！ヘンな研究 …… 189

装幀　藤塚尚子（etokumi）

weird research

世界の

ヘンな研究

世界のトンデモ学問19選

weird research

Part 1

世界のどこでも、娯楽に研究は、ほぼ必須

波に乗るには、頭脳も必要

――サーフィン工学（アメリカ・カリフォルニア州、ハワイ州）

アメリカ西海岸サンディエゴのとあるサーフスポット。波に乗ろうと海に乗り出すサーファーたちに、小さな丸い体温計を体の随所に張り付ける大学生たちがいる。光り輝く波と太陽と、いけてるサーフボードと、身体中に金属体を張り巡らしたサーファーとは滑稽な取り合わせだが、サーフィンのウェットスーツに関する研究の最中なのだ。

体温計を張り付けている学生たちは、地元大学のカリフォルニア州立大学サンマルコス校の運動生理学専攻。授業の一環として、毎年80～100人程度の学生たちがサーフィンにまつわる研究を行っている。

サンディエゴには数知れないほどのサーフスポットがあり、サーフィンのメッカとも呼ばれる。メキシコの国境と30キロメートルも離れていないこの街は年間通して温暖で、初心者向けの場所も上級者が楽しめる場所もふんだんにあるのだ。おかげで、世界中からサ

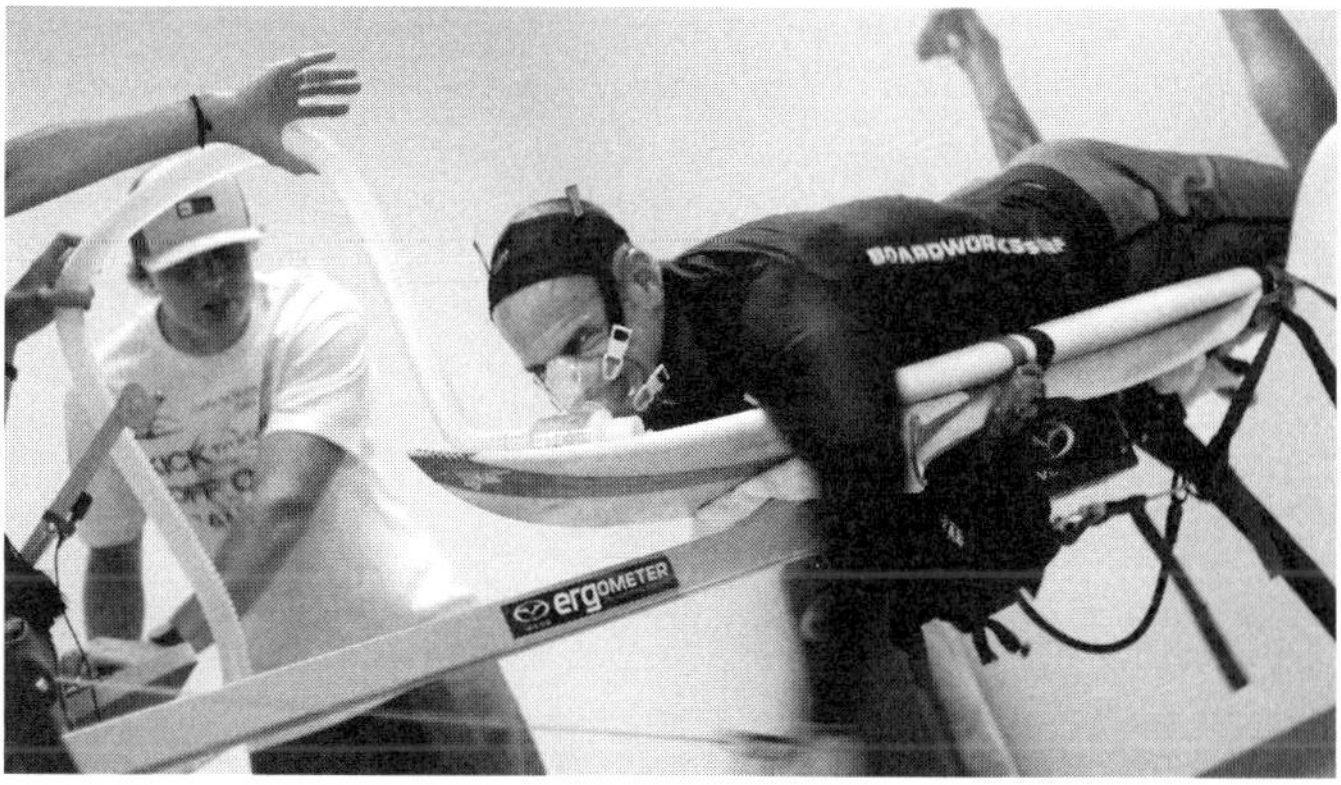

運動生理学の授業の一環で、サーファーの酸素レベルや心拍数を測る（写真提供：California State University San Marcos）

ーファーたちが集まる。

カリフォルニア州立大学サンマルコス校でサーフ研究のプログラムを立ち上げたのは、地元出身のショーン・ニューカマー博士と同僚たち。彼は幼少の頃からサーフィンをしてきた。「サーフ研究のプログラムを立ち上げた時は、他の学者たちから変な目で見られました。それは本当に学問なのか、と。自分自身、サーフィンの研究をする意義を疑ったことがあります。本当はもっと、世のため人のためにできることがあるのではないか、と。でもサーフィンの研究にも、居場所があると思うんです」

彼は進学にともなって州外に出て、研究の道に進み、博士号取得後はアメリカ中部のインディアナへ移り、循環系の若き専門家として競争率が高い研究費を勝ち取っていた。ところが彼は、地元に帰ってくることを選ぶ。

「サーフィンもありますし、地元に戻るのは良い機会になると思ったんです。帰ってきてまず直面したのが、研究を続けることの大変さでした。資金や物資が足りず、思い通りに研究ができず一年間もやもやした結果、いっそのことサーフィンの研究を教育の過程に取り入れてしまえば、学生の興味も上がって、自分も研究ができて、一石二鳥だと思ったんです」

ちなみにこのアイディアが浮かんだのは、同僚と一緒にサーフィンをしていた時とのこと。そうして、カリフォルニア州立大学サンマルコス校でサーフ研究が始動することになった。

セールス文句は、言ったもん勝ちの「サイエンス」だった

近年、サーフィンは人気スポーツの仲間入りをして、年々サーフ人口は増え続けている。東京オリンピックで正式種目になったのも記憶に新しい。そして伸び続ける需要に対して商品を供給するサーフィン業界の企業のほとんどは、ニューカマーさんによると、サンディエゴのあるカリフォルニア州南部に本社を置いているのだ。「でも、サーフィンの研究

を始めてからいざ企業と話をしてみるとおったまげましたよ！」とニューカマーさんは話す。

というのも、ニューカマーさんも消費者としてサーフ企業の商品を買っていた。ウェットスーツで言えば、「最も速乾」「最も暖かい」「最も軽量」などの謳《うた》い文句をよく見るので、企業の中で研究開発が相当進んでいる印象を受けていたそうだ。「そこで、ワオ、アメイジングだと思って、ある会社に聞いてみたんです、『で、どう実験したのですか』と。そうしたら『いや、特に何もしていません』と返事が来たんです。驚きましたね」

競合他社も似た要領で、なんとなくの所感や商品を使ってもらった感想でセールス文句を決めているようだった。どうして競合他社が虚偽表示をしていることを公に言わないのかと聞いたところ、自分たちもそうしているから追及しない、という策をとっていると言われたとのこと。

「例えばウェットスーツが従来製品より30％暖かいとして売られていたことがありました。素材メーカーのラボでは実験が行われていたようですが、人間が着用した状態で検証されたことがなかったので我々が実際に計測してみることにしました。すると従来製品を着用した時とサーファーの体温の変化に変わりはなかったのです。実験室では大丈夫でも、現実には想定外の要因がたくさんあって、結果が変わってきますから。他にもこのようなことがたくさんありました。この業界では、科学的な効果検証が全く行われていないのだという現状を見せつけられました」

基礎知識から検証

運動生理学が専門のニューカマーさんは、これまでサーフィンのウェットスーツに関する研究を多数行ってきた。中でも驚きの発見だったのは、体温が奪われている箇所が、ウェットスーツによって適切にカバーされていなかったことだと言う。

人は体温が下がると、まず手足の皮膚や、筋肉の血管が収縮するようにできている。寒いところへ行くとまず手足の指先がかじかむのはこのためだ。私たちの体は、わざと末梢血管に血が回らないようにすることで、血流を主に体の中心部だけで循環させ、体の中心の体温を温かく保ちやすくしている。冷えた手足の血液が身体中に回ってしまっては、低体温症になり、死んでしまう。そのためウェットスーツも体の中心は厚めの生地でしっかり保護するものの、腕や脚は動きやすくするために薄い生地で作られていた。

だがニューカマーさんと学生たちが、サーファーに生地の厚さが全身均一のウェットスーツを着てもらい体の各部位の体温を計測したところ、水と触れる機会が多い部位から大量の体温を失っていることが明らかになった。特におへその下から腰にかけての部分や、ももの前側の筋肉やふくらはぎの筋肉は冷えやすかった。水は同じ温度の空気よりも熱伝導率が25倍高く、その分、水に触れる部分は冷えやすいのだ。

「確かに、生地を薄くすることで可動域が広がり、よりニュアンスのある動きをしやすいことは考えられます。ですが筋肉が冷えていると本来の力を発揮できないことはよくわかっていることです。そのため、本当は冷えやすいももやふくらはぎを温めるべきなのです。私たちは、生地を1ミリ厚くすることで失われた可動域は、筋肉を保温することで得られるメリットによってカバーされると考えています」とニューカマーさん。

ニューカマーさんたちの取り組みはサーフィン業界の企業からも注目され、サーフアパレルブランドのハーレーと共同開発したウェットスーツも生まれた。サーフィン業界で「初」とも言える、実証実験を行って開発した商品だ。

サーフィンの金欠事情

サイエンスなしにスポーツの商品開発が進められるのは実は珍しいことではない。

「野球やサッカーやバスケットボールや陸上など、注目されることが多いスポーツは50年ほど前から研究が蓄積されているんです。でもサーフィンをはじめ、お金のないスポーツ用品の会社は専属の研究員を雇う余裕がなく、研究開発が全く行われていないことはよくあることです」とニューカマーさんは言う。

サーフィンの人気が上昇し、オリンピックスポーツとして認定を受けたのであれば、サーフィンの研究開発資金は増えたのだろうかとも思える。だがニューカマーさんが地元企業を見てきた限りでは、そのような兆候は特に見られない。

特別な例として、2002年にハーレーがスポーツ用品大手のナイキに買収されたことがあった。その時は大企業の研究文化と資金がサーフィン事業にも回ってきて、カリフォルニア州立大学サンマルコス校との共同研究も活発に行われた。だがオリンピックの直前に、ナイキはハーレーを売却。以来、共同研究に使える資金は絶え、取り組みを続けることができなくなった。

「ですが、業界の中では近い将来、サーフィンが野球やサッカーのようにメジャーなスポーツと化すだろうと言われています。その時、パラダイムシフトが起こるでしょう」とニューカマーさんは見通しを語る。もうすでに、プロの間では変化が見られる。「10年前であれば、サーフィンの練習といえばひたすら波に乗るだけのことでしたが、今ではプロはコーチと練習したり、栄養士に食事を管理してもらったり、パーソナルトレーナーと体を鍛えたり、若い選手たちはいろいろなトレーニング方法を取り入れています。スケートボードでもそうです。選手がスケートボード以外の鍛錬を重ねるのは、スケートボードが単なる娯楽ではなく、お金と名誉が得られるスポーツへと変貌したからです」

ただし、サーフィンやスケートボードなど、「アクションスポーツ」と呼ばれるスポーツの用品を作る企業はまだ比較的小さい会社ばかりだ。大きな会社が買収したとしても思ったように採算が取れず、先述のハーレー売却のような事態に陥る。「大企業がアクションスポーツに力を入れようとするのは、今の若い人たちの興味の方向がアクションスポーツに向かっていて、アクションスポーツに参入する人口が多いことをわかっているからです。むしろ、従来のメジャーなスポーツへの興味は衰退していっているんです」とニューカマーさん。「平昌《ピョンチャン》の冬季オリンピック（2018年）から学んだことがあります。最も見られたスポーツの一つにスノーボードがありました。スノーボードが初めてオリンピック競技の仲間入りをした1998年当時はほとんど注目されていなかったのに、20年の間に大逆転を果たしています。サーフィンも、メジャー化することを見据えて投資しようとしても、採算が取れないのが大企業にとって難しいところですね」

ニューカマーさんたちは、ハーレーとの研究プロジェクトが止まってしまった今、他に共同研究をする企業を探している。「サーフアパレルの会社とちょっとした会話をすることはあっても、大掛かりなプロジェクトの企画は進んでいません。ウェットスーツよりもボードショーツやTシャツのほうが採算が取れるようなので、もしかしたら、研究の成果を知りたくないのでは、と思うこともあります。サーフィンの研究プログラムを立ち上げてから30件以上の論文を発表しましたが、それでも共同研究につなげられないのは……もどかしくて仕方がないです」

研究費は得にくい状況だが、地元のサーファーからのサポートは厚い。これまで、何千人ものサーファーから協力を得て研究を進めてきた。研究参加者を募る時は謝礼を払うことがあるが、ニューカマーさんの学生たちがサーフスポットに出向いて協力を募ると、研究への参加を無償でも快諾してくれる人がほとんどだと言う。「サーファーたちは、もっとサーフィンについて知りたがっているんです。科学的手法を使ったサーフィンの研究は、地元のコミュニティにとって大きなインパクトがあるに違いないのです」

サーフィンは、気候も考える

世界各地にあるサーフスポットは、海水が温かいところ、冷たいところ、風が強いところ、海水よりも空気のほうが冷たいところなど、気候が様々だ。ウェットスーツの開発が進むようになれば、サーフスポットの気候に応じたウェットスーツの開発も進むかもしれない。

ただし、気候変動の影響で、サーフスポットの気候だけではなく波の特性自体も変わる可能性がある。まず海水の水位が上昇することによって、波の割れ方に変化が起こりかねない。一般的に水深が深い場所のほうが穏やかな割れ方をするからだ。「まだ定量的に検証できていませんが、何十年も前から同じ場所でサーフィンをしてきた人と話すと、波が以前のように割れない、と言われる方がいます」そう語るのは、ハワイ大学マノア校のジャスティン・ストーパ博士。海の波が専門の研究者で、サーフィンの文化や、サーフィンと関連する物理現象について教鞭をとっている。彼自身もサーファーだ。

ストーパさんは、衛星からの観測データを集め、波がどのように海氷と接するかや、大気がどのように海に影響を与えるかについて分析している。このことによって、大気と海の間でどの程度炭素や酸素が交換されているかや、大気の温度がどの程度海に影響するのかなどがわかり、気候変動を予測するモデルをより精密にするのに役立つと言う。ストーパさんはサーフィンのために研究を進めているわけではないが、彼の研究によって精度を高めた気象予報は、サーファーがサーフィンをしに行く場所や日時を決める時に使うツールと深く関連している。例えばサーフレポートや気象予報を出しているウェブサイトの「サーフライン」は、アメリカ海洋大気庁が開発した気象モデルをもとにサービスを提供しており、そのようなモデルの開発や改良は学術界の仕事だ。個人でサーフィンをする時にも役立つが、特に活躍するのがサーフィンのコンテストが開催される時。一般的に10日～数週間程度の期間にわたってコンテストが開催されるが、競技は毎日行われるのではなく、波が良い日が選ばれている。この間サーフィン向けの気象予報をゴリゴリ使い、「明日の朝8時までには始めて、午後は風向きが変わるから試合を4つできるようにしよう」などといったプランニングができる。

ストーパさんは、気候変動による海水の水位上昇に加えて、ハワイにとっては低気圧の軌道の変化が大きなインパクトを与える可能性があると危惧している。大気や海水の温度が上昇することで、地球上の熱の分布が変わり、低気圧が生まれる場所やその強さに影響が出るのだ。例えばハワイのノースショアで有名な巨大な波は、日本の沖合や太平洋北部で生まれた低気圧が起源だ。ロシア近辺からの冷たく乾燥した空気が沖合の暖かくて湿った空気と衝突し、強い風が吹くことになる。風はうねりを生み、太平洋を渡りハワイ方面へ向かって行くのだ。ハワイ諸島は弧を描いたような配列になっており、うねりがハワイ諸島に向かっていく角度がほんの少し変わるだけで、今まで波が来ていた島に波が来なくなる反面、他の島に波が到達するようになることも考えられる。

「気候変動は学者だけではなく、全ての人が協力し合わないと解決に向かわないものです。学生には、気候変動に立ち向かう自信をつけてほしいです。その一助としてサーフィンの講義を開講しました。特に強調したいのは、科学以外の知識も役に立つということです。例えば講義の中でミクロネシア諸島の方をゲスト講師として招き、伝統航海カヌーについて語っていただいていますが、これは科学的な計算式を知らなくても別の方法で波を深く理解することができるということに気づいてもらうことがねらいです」とストーパさんは語った。ハワイの貴重な資源である波やビーチを守るために、研究は続く。

コラム

禁止されかけたサーフィン

現代サーフィンは、ハワイのワイキキが発祥地だとされている。ハワイが植民地化して西洋人がサーフィンを禁じようとしてからも、唯一サーフィンが続けられたところだからだ。

サーフィンはポリネシア諸島の人々が始めたとされている。中でもハワイでは男性も女性も楽しめるレクリエーションとして親しまれていたが、単なる娯楽的側面だけではなくスピリチュアルな意味合いもあり、社会的地位によって使えるボードの長さや木材が決まっていた。

18世紀の末に西洋人がハワイを見つけると、ハワイの人々の文化は弾圧されることになる。その中にサーフィンも含まれていた。ハワイに来た宣教師たちは、サーフィンをすることには意義がなく、もっと生産的に時間を過ごすべきだと考えたのだ。ごく細々とサーフィンの文化が受け継がれる中、唯一ワイキキのビーチではサーフィンが行われ続けた。ワイキキが観光地化すると、観光客がハワイの人がサーフィンをするのを見て、興味を持つようになり、プチ観光名物となったからだ。そして20世紀に突入すると、アメリカの伝説的な水泳選手であるデューク・カハナモクがサーフィンを広くハワイの外へも普及させることになる。カハナモクはハワイ出身で、オリンピックのゴールドメダルを3個獲得している。彼はオーストラリアやニュージーランドで波に乗ってみせ、大勢の人がカハナモクの姿を見ようと集まったのだ。18世紀の西洋人が奪いかけた文化（スポーツ）に、20世紀の西洋人が魅了され広く普及していったという、ある意味皮肉な背景を経て、世界中で楽しまれるスポーツへと発展していった。

「馬の国」のウマ研究

――ウマ科学（アメリカ・ケンタッキー州）

大航海時代の冒険家がヨーロッパからアメリカ大陸へやってくるまで、現存のウマはアメリカ大陸には存在しなかった。

それなのにアメリカのケンタッキー州が「ホースカントリー（馬の国）」と呼ばれるほどウマ産業が盛んになった理由は、ナゾだ。石灰質の土壌のおかげでカルシウムを豊富に含む草が生え、強い骨を持ったウマが生まれやすかったからという説をはじめ諸説あるが、草食動物が生きやすい平坦な土地が豊富にあったことや、労働用にウマを飼っていた開拓民が西に進むために連れてきたこと、そして東海岸の裕福な家がレース用の馬を育てる広い土地を探していたことなど、複数の要因が重なったためという説が有力だ。とにかく、ウマの飼育が定着していった結果、ケンタッキー中央部のレキシントン市にレーストラック（競馬場）が作られ、これを皮切りに、ウマ産業の中心地として唯一無二の地位を築いていった。元々レース用に飼育されていたのはスタンダードブレッドと呼ばれる品種だが、次第にサラブレッドに置き換わっていった。今では、北アメリカのサラブレッドの4割近くがケンタッキーで生まれ、世界的に有名な競馬のケンタッキーダービーをはじめ、様々なレースに出場している。

実は競馬の売上が最も高い国は日本だが、ケンタッキーでは競馬だけでなく、馬のショーがあったり、ペットとして飼われたりもしているため、人がウマと触れ合う機会が多い。それを象徴するかのごとく、2020年までは車のナンバープレートに馬のイラストが入っていた。

これだけウマが地域に定着しているだけあって、ケンタッキーではウマの研究が盛んだ。特にお金が大きく動く競馬業界から研究資金が集まり、ウマの体調管理はもちろん、ホースシューやレーストラックの材質がウマの足に及ぼす影響なども緻密に研究がなされてきた。

ウマ業界のニーズをもれなく拾う地元大学

中でも、地元民にとって憧れの大学であるケンタッキー大学では、ウマ研究に特化したグラック・ウマ科学研究センターが業界の様々な課題を解決すべく研究を進めている。

元々ケンタッキー大学では、獣医学部の一環としてウマの研究が始まった。当時、大学が得意としていたのはウシの研究。ところが現地のサラブレッド産業が開花するにつれて、ウマの研究へ注力するようになっていったのだ。1985年には、ウマ業界からの献金のおかげでウマ研究専門のグラック・ウマ科学研究センターが設立され、ウマ研究を代表する研究施設となった。ウマ以外の研究を行うこともあるが、ほぼ全ての所属研究員がウマの研究を行っているのは、全米を見てもこの研究施設だけだ。業界の有識者からなる諮問委員会と定期的に話し合いを行い、業界のニーズについての情報交換や、研究の場や資料を得るための交渉がなされている。

2022年までセンター長を務めたデイビッド・ホロホフ博士によると、グラック・ウマ科学研究センターでは3つの研究エリアがウマ業界から特に必要とされている。まず最初に、ウマの繁殖。ケンタッキーのウマ業界で一番収益が高いのが、サラブレッドの売買だ。ケンタッキー大学があるレキシントン市では、ウマ牧場のほとんどがサラブレッドの繁殖と飼育を目的としている。一般的な飼育場では雌馬が150頭ほど飼われ、100頭ほどの仔馬が生まれてくるが、エリート血統の若馬は1頭数千万円で取引されることがあ

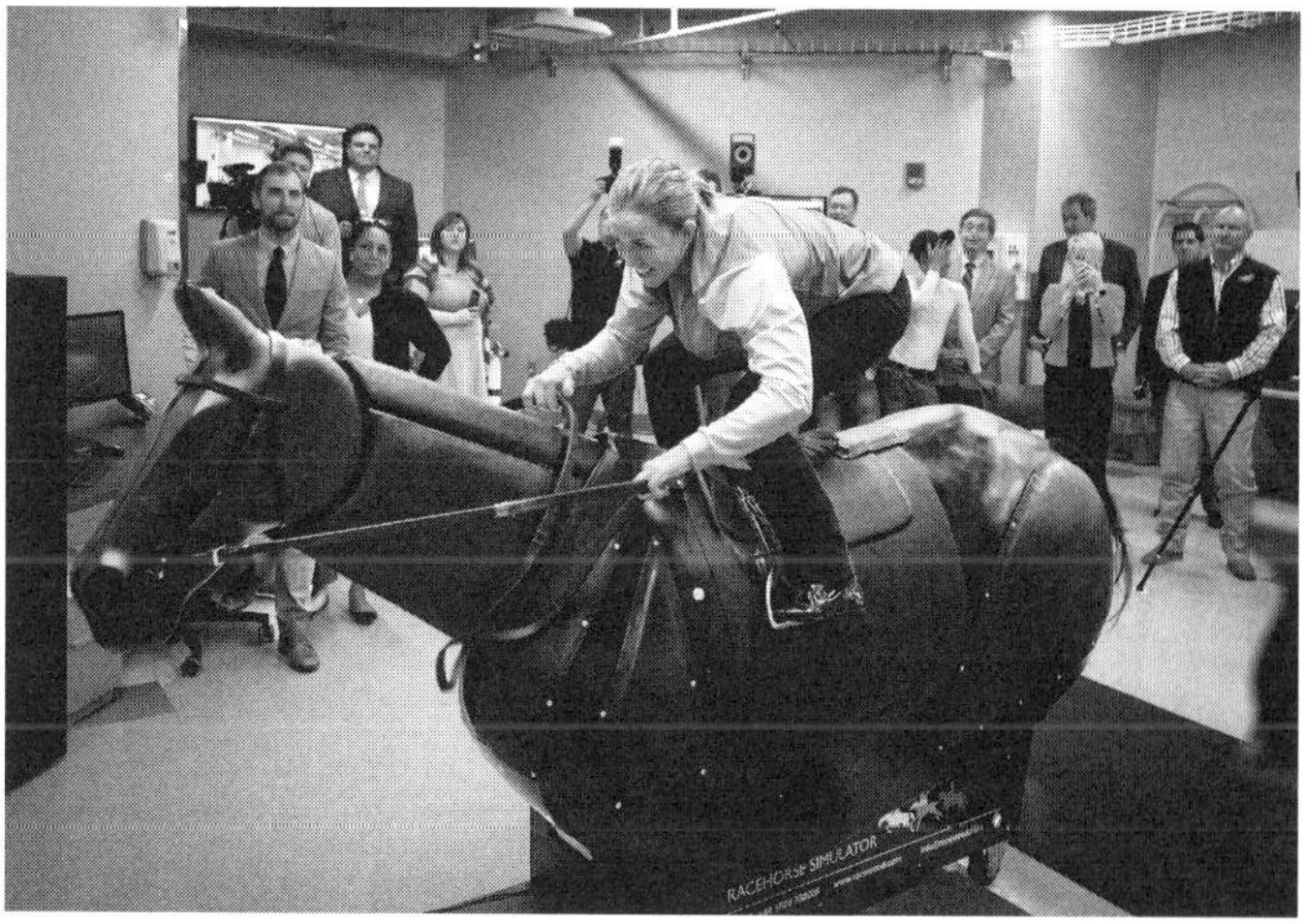

ジョッキーがより安全に競馬に出場するための研究も行われる（写真提供：UK Photo | Mark Cornelison）

るのだ。「牧場で雌馬を飼うことは大きな負担を伴うことで、負担が重い分、価値の高い仔馬を産ませて育てるために莫大な投資がされています」とホロホフさんは言う。そもそも仔馬が生まれてこないと全く採算が取れないので、雌馬の妊娠しやすさや、妊娠初期や後期の流産を防ぐことや、生まれて間もない仔馬の健康を保つことに関して多額の研究資金が集まる。

次に感染症の予防。牧場では何百頭もの動物が限られた空間の中で飼育されており、人間とウマの接触や、ウマ同士の接触も多い。ソーシャルディスタンスなんて余裕は到底なく、感染症が広がりやすいのだ。近年では多くの仔馬が原因不明の下痢に悩まされていたが、グラック・ウマ科学研究センターの研究者が新種のウイルスが原因であることを突き止め、検査方法を開発した。現在、ワクチンの開発が進められている。

そして近年注力するようになったのが、競技の安全性に関わる研究だ。人間のスポーツ科学を参考に、競馬のサラブレッドや他のスポーツ競技で使われるウマの怪我を防止するべく、筋組織や骨組織、そしてそれらの中で発現する遺伝子の特徴の研究がされている。この研究の一環としてホロホフさんたちが取り組み始めたのが、「壊滅的な損傷」と呼ばれる、ウマのキャリアを終わらせてしまうほどの大怪我を防止する研究だ。

壊滅的な損傷の研究

ホロホフさんたちは、レースやトレーニング中に起こる大怪我は、つまずきや衝突など単一の出来事が原因で起こるのではなく、小規模な損傷が慢性化して起こるものだという前提で研究を進めている。

運動するということは、筋組織を一旦壊し、回復の過程でより強い筋肉や骨を作っていることに等しい。レースに出すウマには、強い組織の再生を促す強度のトレーニングを積ませる必要があるが、あまりに強度が強いトレーニングを続けすぎると、組織の破壊に対して回復の速さが追いつかなくなってしまう。そのため、トレーニングの強度と休息のバランスが非常に大切だ。組織の破壊が積み重なった時に、損傷の慢性化の症状が現れる。

ケンタッキー大学の研究チームは、2年半にわたってレースに出たウマ1000頭近くの血液を採取し、その期間中に大怪我を負ったウマと損傷を負わなかったウマのRNAを比較した。その結果、炎症にまつわるタンパク質を作るように司令を出すRNA3種が、大怪我に至る慢性的な炎症を検知するのに使えそうだとわかった。この研究成果は2021年に発表し、2022年からは、検証が行われている。

「最終的な目標は、ウマが大怪我を負う前に防止することです。損傷を負う前にリスクが高いウマを見つけ出すことができるようになれば、この研究は成功したと言えるでしょう。もちろん、どう頑張ってもウマが転んでしまうこともあるので、怪我を完全になくすことは難しいでしょうが、この研究が成功すれば大怪我を負うウマの数は大幅に減るでしょう。また、ウマも人間も同じ哺乳類で、同様のシグナルが細胞から発せられるので、人間や他の哺乳類にも応用できる可能性があります」とホロホフさんは抱負を語った。

お金の話

これほどまで一生懸命に怪我の予防をするのには、ウマのウェルネス以外にもワケがある。

それは、ウマの成績がビジネスだからだ。「特定のウマを鍛えるためにいくら使ったか、ウマがいくら利益をもたらしているかに応じて、経営判断が下されるのです」とホロホフさんは言う。

ウマがレースで勝つために負荷の高いトレーニングを日々積み重ね、可能な限りたくさんのレースに出て、次第に体が消耗していった結果大怪我を負い、競技の最前線から退くことになると、当然利益は出なくなる。「もしウマがキャリアを通してできることを全てやり尽くしたのであれば、気持ちよく引退生活に送り出してあげられるのかもしれませんが、大怪我は一番悲しいキャリアの終わり方です」とホロホフさんは語る。

大怪我をしなかった場合でも、競技馬はウマ人生のどこかで投資に対して収益が下回る時を迎え、赤字に転じる前後で売りに出される。売るタイミングはオーナーにとって、いつも悩みの種だ。ウマは能力に応じて階級分けされているが、能力が落ちると階級が下げられてしまい、売値も安くなってしまう。

赤字になる理由も様々だ。単純に歳をとった場合もあれば、調子が悪くなったり、そもそも才能がなかったりする場合もある。「残念ながら、才能のあるなしを見極めるのには時間がかかるのです」とホロホフさん。「誰も負け馬を買いたがる人はいないのですが、ウマは買って育ててみないとわかりません。もし、ウマの勝つポテンシャルがないことがわかれば、経営面から、売る判断が下されます。とても数学的で、人間味のない取引ですが、生業《なりわい》としてやっているのであればこのような判断を下さざるを得ません」そのため、ほとんどの競技馬は、競技を始めてからほんの数年で引退することになる。単純に、思ったほどの利益を出さず、レースを続ける価値がないとみなされるからだ。

成績抜群のウマの場合は、まだ若くてキャリアを続けられる場合でも、引退して繁殖に回されることもある。理由は、成績が良い時が一番種馬としての金銭的価値が高いからだ。主要なレースであるアメリカクラシック三冠の各競走を優勝するなど大きな成果を出した時点では、雌馬と繁殖させた時に将来の三冠馬が生まれるかもしれないと、高値で繁殖に出すことができる。だが、仮に三冠達成した年が、たまたま運がいい年だったとする。その後も競技を続けて成績が悪いと、種馬としての価値が下がってしまうので、やはり引退のタイミングをうまく計る必要がある。

「あれもこれも、お金の観点から物事を語るのは、研究者の私からするとあまり心地良いものではありません。業界に対する興味やウマが好きという気持ち、そして貢献したいという気持ちで日々研究を重ねているからです。ですが、私が研究を通して触れ合う人々にとっては、これが生業であり、家族の収入や家族の未来がかかっているのです。ですので時に難しい決断を下さざるを得ないこともありますし、その決断は最終的に、金銭面にかかっていることが現実です」とホロホフさんは語った。

ニッチすぎるウマたちの生き方

採算のバランスの考え方は、ウマの医療にも影響するようになってきた。「20年ほど前から、動物用の小さな薬品メーカーが大手製薬会社に買収され、文化が変わってしまったのです」とホロホフさん。人間向けの薬品を扱う大手は費用対効果をより重視し、ニッチな動物であるウマにまで開発予算が回ってこなくなってきたと言う。

例えば、仔馬の下痢を引き起こすウイルスに対するワクチン。ロタウイルスBと呼ばれる新種のウイルスが原因であることを突き止めた際、ホロホフさんたちは、ウマがかかる別のロタウイルスのワクチンを製造する製薬会社に新ワクチンを作ろうと提案した。ところが返ってきたのは、消極的な答え。現存のロタウイルスのワクチンの採算が取れていないところに、また新たなワクチンを作るのは難しいとのことだった。「大手に買収される前から同じ製薬会社に勤めていた方でも、違う経営文化のもとで働き始めると、以前であれば開発に取り組んでくれたようなプロジェクトでも大きな利益が見込めない限り取り組めなくなってしまったようです」とホロホフさん。「牛、豚、鶏の薬品は市場が巨大なので、製薬会社にとっては採算が取れやすい分野です。また、家で飼うような小動物も、飼い主たちは愛するペットのためであれば100ドルの金銭的価値の動物に対しても1000ドルの薬代を平気で払うので高い利益が望めます。それに対して、食用の家畜でもなく、ペットでもないウマは、あまりにニッチな市場なのです」

ちょっと惜しい科学の受容

ここ数十年で様々な変化があったウマ業界だが、前向きな変化も十分あった。「私は80年代から研究を続けてきましだが、技術よりも何よりも、この業界が一番変わったのは科学を受容する姿勢だと思います」とホロホフさんは話す。「私がウマの研究を始めた頃には、あらゆる現象が起こる理由について様々な思い込みが蔓延していました。今では、物事を判断する上で科学的なエビデンスがより使われるようになりました」

ホロホフさんたちが行ってきた大怪我の研究も、その一例だ。長年、競技馬が大怪我を負う時は、いつも運の悪い転倒が原因だと言われ、誰もそれを疑うことがなかった。「ウマはレースの時にあまりにも速く走るから、もちろん転んで足の骨を折ることもあるし、そういう悪い運はどうしようもないよ、というのが一般常識でした」とホロホフさん。前述の通り、実際のところ大怪我は回復できなかったダメージの積み重ねで引き起こされることがわかっている。惜しいのは、その解決方法としてエセ科学的なサプリメントの投与や有効性の根拠が弱い手法が蔓延していることだと、ホロホフさんは話す。だが、定量的に物事を分析しようとする姿勢は、ウマ研究がこれからも必要とされ続けることを物語っている。

こうして今日も、お金と愛との間のどこかで、研究が続けられている。

お家にもスポーツにも、芝生は命
――芝生の科学（アメリカ・カンザス州）

アメリカで大都市のベッドタウンに行けば、どこの州でも同じような住宅街に遭遇する。大きな家に、車が最低2台入るガレージ。そして青々とした芝生に覆われた前庭と裏庭。完璧に手入れされた芝生の庭を持つことは、いわゆるアメリカンドリームの象徴なのかもしれない。芝生は州それぞれの気候にかかわらず完璧に保たれていて、どの季節でも美しく生い茂る。芝生を枯らして雑草ボーボーの状態なんかに放置した暁にはご近所さんから白い目で見られてしまうから、スプリンクラーや、芝刈り機や、芝生用の肥料は、もはやアメリカの一戸建ての住まいの三種の神器である。

一戸建て住宅の他でも、芝生はアメリカ社会のありとあらゆる場所で見られる。公園や墓地や、街の歩道に加え、高校のフットボール場、そしてゴルフコース。普通に生活していれば避けて通れないほどアメリカ社会にとって身近な芝生は、これまで大量の水や薬剤を投下することで管理されてきた。だがカンザス州立大学のデール・ブレマー博士によると、そんな時代も終わりを迎えようとしている。アメリカの芝生業界も、ようやく本気で資源節約に取り組み始めたのだ。

芝生の国、アメリカ

ブレマーさんは、20年以上カンザス州立大学で芝生と気象の研究を重ね、芝生の教育プログラムを牽引してきた。

アメリカでは、国中に芝生の研究プログラムがあるが、多くの芝生研究者は「ランドグラント大学」（公有地付与大学）と呼ばれる大学群に雇用されている。ランドグラント大学とは、アメリカ第16代大統領のリンカーンが、農業や工学など、労働階級層の人々が実用的な知識を身につけられるように設立した。時代が変わるにつれて、ランドグラント大学は他の分野にも取り組むようになったが、今でも農学に強い大学が多い。カンザス州立大学も最初のランドグラント大学の一つとして１８６３年に設立され、ブレマーさんたちはカンザスの芝生業界を支えるために研究や教育や、産業との連携を行っている。全米で様々な芝生研究が進められている中、カンザス州立大学が得意としてきたのは日本芝の品

品種改良中の日本芝を比べてみる（写真提供：Jack Fry）

種改良だ。

設立当時から農作物の研究に強いカンザス州立大学だが、芝生では、他の作物のように収穫量を増やすことを求められるのではなく、美しさを追求する点が特徴的だとブレマーさんは言う。「芝生を管理するのは、なるべく美しい緑色になるように育て、暑かろうが水が足りていなかろうが雑草が侵入してこようが、美しい緑色を保つためです」

管理が重要な例として、ゴルフ場の「グリーン」と呼ばれるエリアが挙げられる。ゴルフボールを入れるカップはグリーンの中にあり、ゴルフボールがスムーズに転がるようにするために芝生が短くきめ細かに手入れされている。だがグリーンで求められる短さは、芝生にとっては地獄なのだ。というのも、我々が見る芝生の緑の部分はいわば、他の植物の葉の部分。短く芝を刈るということは、葉緑体や気孔が詰まっている葉の部分を短く切っているということなので、光合成ができる面積がほとんどなくなってしまうし、蒸散をする面積も小さくなるので、気温が高い時に温度調節をしにくくなる。つまり、暑くてもご飯を与えず、汗をかくことも禁じ、疲れているのに人間に幾度となく踏み潰され、それでも美しく元気でいろ、と言っているに等しい。ただでさえそのような状況で生きていられることは感心すべきことだが、反面いかに手入れが難しいかも想像がつくだろう。

「芝生を美しくするために肥料や、水や、殺虫剤をたくさん与えることが常習化していましたが、好きなだけ与えられる時代はもう終わりました。近年サステナビリティに対する関心が高まり、与える資源を減らしつつも芝生を美しく保つことが大きな課題となっています」とブレマーさんは語る。

特に近年、芝生を育てることは環境に負荷を与えすぎだと批判されることが多い。その要因の一つは、芝生の資源の無駄遣いは一般社会に見えやすいからだとブレマーさんは言う。例えば田舎で、コーンの大規模栽培がされていたとする。散水装置の自動運転で、水が道路にまでかけられていたりしても、そもそもド田舎の道路を通る人は少なく、気にする人はほとんどいない。対して芝生は、主に人が生活するところに植えられる。都市部で散水装置が自動運転する中で植物ではなく歩道に水をかけていたり、雨でも作動していたりするところが見えると、問題視されやすいのだ。

地中のセンサー

そこでカンザス州立大学が力を入れているのが、散水量を最適化するための水分センサーの開発だ。これまで単純に「水をやる時間だから」という理由で定期的に散水されていた芝生にも、もっと考え抜かれた散水方法が必要になってきたのだ。簡易的なセンサーを使うことは以前から行われてきたが、サステナビリティに関する意識の変化で、センサーの技術への注目度が高まってきている。芝生はある一定の水分量を下回ると、ストレスを感じ葉が茶色く変色し始めるが、センサーを地中に埋めることで土の中の水分量を測り、芝生に水が足りているか判断できる。芝生がストレスを感じ始めた時が、水のやり時だ。だが、その閾値《いきち》がどこなのか判断するのは意外と難しい。地形が傾いていたりして、乾燥しがちな部分や水分が溜まりやすい部分があると、どこで計測をすればよいか判断しにくい。そして土の性質によっても必要な水分量は大きく異なる。例えば粘土と泥の間では水の保ち方が違うなど、考慮するべき点がたくさんあるのだ。同じゴルフコースの中でさえ、フェアウェイとラフとグリーンでは芝生の品種が違い、求められる長さが異なるので、工夫が必要だ。「温暖な地域に向いた芝生は必要な水分量が一般的に少ないとか、大まかな閾値を算出することはできます。ですが本当に適切な閾値は、ゴルフコースのマネージャーなどの管理者がそれぞれの状況に合わせて見極めていくしかないのです」とブレマーさんは言う。

数年前には、土から蒸発する水の量と、芝生が蒸散で失う水分量をもとに散水する方法が考案された。気象データと重ねると、芝生が使う水分の量を算出でき、使った分だけ補塡すれば良い、という考え方だ。「水分量を補塡する必要があっても、その晩の降水量が70%ならば、まだ散水しないでも大丈夫、といったようにプランニングができるようになります。こうして複雑な数式を使って水の使用量を試算すると、散水量を節約する上で一定の効果が見られますが、必ずしも正確ではありません。水の使用量について世間の目が厳しくなる中、地中に十分水分があるのに散水をすることは理にかなわないので、センサーで測った土の中の水分量も加味する必要があります」とブレマーさん。

だが芝生管理のためにセンサーを使うことは、なかなか現場では普及しない。価格が高いことに加えて、使い方や読み方が複雑だったり、今市場で売られているものに関しては、ワイヤーにつながれているものが一般的だったりと、不便なのだ。ブレマーさんたちは、芝生上層部の状態をドローンで計測したデータとセンサーのデータを合わせて、より精密な試算をするプロジェクトを進めている。「このように、集められるデータの種類や量が飛躍的に増えています。そのため、芝生の管理にも、機械学習の技術が応用できる日が近づいてきています」と語った。

変わりゆく美しさの基準

こうした取り組みと同時に、サステナビリティの波の中で芝生業界は新しい種類の「美」を浸透させようとしている。「『隅から隅まで完璧な緑色を求めるのではなく、枯れた茶色の部分があっても大丈夫』芝生業界は何年も前から、このような新しい価値観を浸透させようとしてきました。これまで、アメリカでは深い青緑の芝生、ヨーロッパでは明るい黄緑の芝生が好まれてきましたが、水や他の資源の使用を節約するのであれば、芝の疲れがひと目で見えることに対する抵抗をなくしていかざるを得ないでしょう」とブレマーさんは言う。

全米ゴルフ協会も新しい考え方の普及に精力的に取り組んできた。その一環として、2014年の全米オープンでは夏の暑さで枯れてしまった芝生の上でトーナメントが行われた。というのも会場のパインハーストナンバー2コースは大幅なリノベーションを終えたばかりで、元々1150個あったスプリンクラーを450個に減らしていたのだ。全米ゴルフ協会にとっては、枯れた芝生でのゴルフを広く受け入れてもらういいチャンスだった。そもそも近代的な灌漑《かんがい》システムが導入される前の状態に戻っただけなのだから、芝生が生きているのであれば茶色が交じった姿もある程度受け入れられるだろう、という算段だった。

「ところがいざ全米オープンが放送されると全米ゴルフ協会は大きな批判を受けました。ゴルフコースのこんな姿は、人々が求めていたものではなかったのです」とブレマーさんは言う。「全米ゴルフ協会は、サステナビリティが謳われる今、ゴルフコースの芝生が完璧でなくても大丈夫と広く一般にメッセージを送りたかったのですが……。それでもゴルフコースの管理者、利用者も、やはり美しい緑の芝生を求め、完璧な緑色の芝生を保つためには代償があるということがなかなか理解されません。もちろん芝生の研究者としては、美しい緑の芝生を最低限の資源で提供できるように尽力していますが、水や薬剤の利用に関する要求が厳しくなれば厳しくなるほど、研究だけでは追いつきません」

美の基準の変化に加えて、アメリカ各地の大学では、より少ない水で生きていくための品種改良や新種開発が進んでいる。芝生の研究の中でも、研究資金を最も調達できているのは、この分野だ。中でも、ブレマーさんたちがサステナビリティに価値が高いと考えるのが日本芝だ。日本芝は他の品種と比べて少ない水や殺虫剤で生きていける。温暖な気候に向いた品種だが、カンザス州立大学の研究によって、寒冷な地域でも育てられるようになった。それを受けてカンザスでは、ゴルフ場の管理者たちが続々とフェアウェイの芝を日本芝に置き換えている。

水も殺虫剤も少なくて済むのであれば夢のような話だが、もちろんデメリットもある。日本芝は育つのがとても早く、「サッチ」と呼ばれる層ができやすい。サッチとは、刈った芝生や、冬枯れした葉や、古い根が、土の表面や浅い部分に堆積して層をなしたものだ。サッチが分厚くなると水が土に浸透しにくくなったり、根が土ではなくサッチの中で育ち乾燥してしまうなどの問題がある。日本芝は管理が上手くできないと、逆に枯れてしまいやすいのだ。また、日本芝も品種改良がされたとはいえ、寒さに対する耐性には限度がある。「より寒冷な地域でも育てられるように改良することは、今取り組んでいる大きな課題です」とブレマーさんは語った。

芝生は、心身の健康を支えている

近年、環境への影響が批判されがちな芝生。食糧のような必需品でもない芝生のために、貴重な水が大量に使われたり、環境汚染につながる肥料や薬剤が過剰に投下されたりしてきたことは事実だ。水不足が問題になっている地域でも芝生に水が使われていたことも、世間からの風当たりを強めた。ユタ州南部の大都市セントジョージでは、砂漠の真ん中に青々とした芝生が生い茂るゴルフコースが8つもあるし、ザイオン国立公園付近でもまた、赤茶色の土が地平線まで続くような風景の中に、青々とした芝生の庭を持つ家やホテルが何軒も立ち並んでいる。

それでもブレマーさんは、「芝生の存在は、少し軽視されすぎているのではないか」と言う。「例えば、都市部の公園の芝生が全部、土と入れ替わったり、雑草だらけになったと想像してみてください。心地よい公園ではなくなりますよね。芝生が安らぎや、楽しみの場を提供してくれていることはあまり評価されていないように感じます」

心身の健康の他にも、芝生は厚い根系を持っているため、降水量が多い時に水をよく吸い、水や土砂の流出を防ぐことができる。また、空気中の塵《ちり》の量の減少にもつながる。ブレマーさんによると、中国の文化大革命の際、西洋文化を想起させる芝生が国中から取り去られたが、砂塵嵐や粉塵汚染が悪化し、塵による健康問題が顕在化した。

さらに芝生は様々な場面で求められているため、アメリカでは雇用の機会にもつながっている。資源の利用と、安らぎや楽しみとのバランスが、今日も模索され続けている。

テイスティングは授業の一環？
――ブドウ栽培とワイン醸造学（アメリカ・カリフォルニア州）

1976年の5月。パリのとあるホテルで、銘柄を伏せてワインを飲み比べるブラインドテイスティングが行われた。当時、世界で最高だと言われていたフランス・ボルドー産のワインと、ただの安いワインだと広く思われていたアメリカ・カリフォルニア産が比較されたのだ。審査員はフランスの名高いワイン専門家ばかりで構成されており、10種のシャルドネと、10種の赤ワインを飲み比べては、質を格付けした。

誰もがボルドーワインに軍配が上がると思って疑わなかったが、最終結果が出ると、なんと、シャルドネと赤ワインの両方でカリフォルニア産のワインが1位をとってしまったではないか。この出来事は、後に「パリの審判」と呼ばれることになる。

名高いボルドーワインより高い評価を得たことを機に、以来、カリフォルニア産ワインは爆発的に売れるようになる。中でも有名な生産地は、ナパバレーだ。サンフランシスコから車に揺られること1時間半、シリコンバレーの都会的風景から一変し、見渡す限りひたすらブドウ園が続く風景が現れたら、ナパバレーに入った証拠だ。カリフォルニアには4500軒ほどのワイナリーがあり、全米のワイン生産量の90%近くをカリフォルニアが占める。そして、そのうち500軒ほどがナパバレーに集中している。ナパバレーでは、赤ワインのカベルネ・ソーヴィニヨンやそのブレンドが世界的に有名だ。

初めてカリフォルニアにブドウ園が作られたのは1760年代のこと。その後カリフォルニアのワイン産業は、成長と衰退を繰り返してきたが、1930年代のアメリカの禁酒法時代に一気に廃《すた》れてしまった。

当時カリフォルニアのワイン業界を復興させるために設立されたのが、カリフォルニア大学デービス校のブドウ栽培・ワイン醸造学部だ。常にその時々の先端科学を使い、ナパバレーを含む大学周辺のワイン生産地はワインの質を高めてきた。カリフォルニアのワイン産業が実質ゼロまで落ちぶれた状態からパリの審判の日まで、50年足らずで逆転劇を果たすのを、大学の研究が手助けしたのだ。ブドウ栽培・ワイン醸造学部長のデイビッド・ブロック博士によると、時代の先端技術を積極的に取り入れる風潮は、今でも受け継がれている。「ナパバレーの特徴として、ワインの生産者が皆、当学部や他の大学できちんとしたワイン作りの教養や訓練を受けていることが挙げられます」とブロックさん。「ワインを作るには高度な専門知識や技術が必要ですが、ナパが比較的短い期間で有名産地になれたのは鍛錬を積んだプロが働いており、お互いに知識を共有し合ってきたからなのです。ナパバレーで質の悪いワインが極端に少ないのは、そのためです」

ワイン作りは、ノマド向き？

カリフォルニア大学デービス校では、ブドウ栽培とワイン醸造学の学士プログラムと修士プログラムがある。学部生向けの学士プログラムでは最初の2年で物理や生物や化学など科学の基礎を履修し、その知識を次の2年間でブドウ栽培やワイン醸造の授業に活かす。この中にはブドウの育て方や生理学的な特徴、ブドウの病気や寄生生物、ワインに使う機械やワイナリーの構造、ワインの中で起こる化学反応などが含まれる。ワインの風味を評価し表現するための官能評価の授業では、テイスティングも行われる。もちろん、テイスティングはただ楽しいだけではなく、がっつり成績がつくのだが。このように様々な側面を学ぶことで、ワイン作りの全ての工程に関して基礎知識と実習経験が得られるのが特徴だ。カリフォルニア大学デービス校はこの分野では最も研究と教育の歴史が長く、世界各地のワイン関連学部がデービス校の教育カリキュラムを参考にしている。

とはいえ、アメリカの飲酒合法年齢は21歳なので、どのようにしてワインを専攻しようと思うのだろうか。ブロックさんが言うには、学生の1／3ほどはワイン作りに携わっている家系やワイン好きの家庭出身で元からワインの道を目指しているが、その他は他学部や他大学から途中で転入してくるとのこと。「ワイン入門の講座があるんです。毎年3回講座を開いていて、毎回500人もの学生が受講する人気講座なのですが、ここでワイン作りのプロになれることを知る学生もたくさんいます。私自身、お酒を全然飲まない家庭で育ったので、ワインをキャリアにできるなんて思ってもみませんでしたが、もっとたくさんの学生にそのような選択肢があることを知ってほしいです」

学生は卒業後インターンシップに勤《いそ》しみ、インターンシップで世界を飛び回る学生が多い。よくあるインターンシップの組み方は、6月の卒業式の後、北アメリカのどこかでインターンシップを行い、ブドウの収穫シーズンが過ぎて冬になると南半球に出向いてインターンシップを行い、南半球で冬を迎えると北半球に戻ってさらにまたインターンシップを行う、というパターンだ。こうして卒業後1年半の間、世界各地でインターンシップを重ねてから就職する学生が多い。

インターンシップを終えた後でも、世界を飛び回りながら仕事をすることができる。「卒業生の例では、毎年いろんな場所を転々としながら働く人もいます。知人の中には、中東やイタリアやハンガリーで付き合いのあるワイナリーで働いて、季節が変わると南半球のアルゼンチンやオーストラリアやニュージーランドで仕事をし、またカリフォルニアに戻ってきてワインを作る、といった働き方をしている人もいます」とブロックさんは言う。「世界各地を飛び回れるのはワイン作りの仕事の面白いところですし、これからもワイン作りを担う人は世界を飛び回り続けるでしょう。あまり知られていませんが、ワイン作りは旅行好きで、異文化の中で暮らすことが好きな人にとって、とても面白いキャリアパスだったりするのです」

科学は、アートを可能にする

大ざっぱに言うと、ワインはほうっておいてもできる。美味しくないだけで。ブドウを放置しておけば勝手に発酵が進むからだ。「そこで科学が道具箱のように使えるのです。フランスのボルドーのように昔ながらの、とても基礎的で手作業だけの工程を経て美味しいワインを作ることもできますが、科学的に何が起こっているかを理解することで本当に

大学内のワイナリー。特注デザインの発酵槽で研究中（写真提供：University of California, Davis）

クリエイティブで特別なワインを作ることができるのです。ワイン作りは半分科学、半分芸術のようなものですから」とブロックさんは言う。

中でもブロックさんが注目しているのは、味や香りを思った通りのものにする技術だ。ワインを寝かせるバレルの使い方や、ブドウの味を決める遺伝子の特定などが進んでおり、ブロックさん自身の研究室ではワイン酵母の研究を行っている。

ワインを発酵させる時、酵母は糖と窒素を分解し、二酸化炭素とエタノールを作る。そしてその過程で様々な化合物がオマケで作られる。これは、ワインにバナナのような香りを与えるものから腐った卵のような臭《にお》いにしてしまうものまで、多種多様だ。ブロックさんの研究室では、数学的モデルを使うことで様々な酵母の代謝の過程を比較し、どの酵母のどの過程でどの香りや味が生まれているか割り出すことに成功した。これが解明できた今、次は酵母のどこの遺伝子を改変すれば意中の化合物をより多く、もしくはより少なく生成することができるか検討できるようになった。「酵母の研究を始めた25年前には、商業的に使われていた酵母の種類は20種程度しかありませんでした。ですが今は少なくともその5倍くらいの種類が商業的に使われています。これは、懸命に酵母の育種が行われてきたからです。

遺伝子組み換えの技術を使って酵母の育種をするならば、より早く新しい酵母を開発でき、さらにワインの風味の可能性を広げることができます。ですが、果たして遺伝子組み換え酵母で作ったワインが消費者に受け入れられるのか……。すでにいろいろな食べ物で遺伝子組み換え酵母が使われていますし、時代とともに社会一般の考え方は変わっていくのかもしれません」とブロックさんは言う。

科学は、問題解決策

高度な科学的知識はクリエイティブ表現の幅を広げると同時に、トラブルが起こった時こそ必需だ。「極端な話、当たり年の時は、ブドウを発酵用の機械に入れればあまり難儀することなく良いワインができます。一方で、異常気象でブドウの収穫が影響を受けたり、ワイナリーに故障があったりした時には科学の専門知識が非常に役に立ちます」

特に近年、ナパバレーで問題になっているのが山火事だ。山火事は10年ほど前からオーストラリアで問題になっていたが、ナパバレーで注目されるようになったのは２０１７年に入ってからのこと。それまでもカリフォルニアでは頻繁に山火事があったが、人里から離れた場所で起こり、ブドウの収穫の時期が過ぎた後である場合がほとんどだった。だが２０１７年は、まだ収穫されていないブドウがたくさん残っている10月に山火事が発生した上、場所がナパバレーのごく近くだったのだ。２０１８年と２０１９年はセーフだったものの、ワイナリーは２０２０年に大打撃をくらう。山火事が、収穫シーズン前の８月にナパバレーを直撃した。火はナパバレーの東側で大きく広がった後に北側へ移り、さらにその後に西側まで広がったのだ。10月にはさらに大規模な山火事に見舞われ、中央部も焼き尽くされてしまった。２０２０年の一連の山火事による経済損失は、ワイン業界で35億ドル相当だと言われている。以来、ブドウ園周辺で山火事を抑える方法が検討され始めたが、ブロックさんは今後も山火事がブドウ園周辺を直撃し続けると見ている。「いざブドウ園周辺に山火事があった時、ブドウをどのようにして守るかや、守れなかった場合でも、ブドウについてしまった煙の影響をワインから消しさる方法が精力的に研究されています。今アメリカとオーストラリアでは、様々な観点から山火事対策の研究が急ピッチで進められていますが、まだ正解は見つかっていません」

もう一つ、科学が解決しうるワイン業界の悩みは人手不足だ。ナパバレーだけではなく、ワイン業界全体では人手不足が深刻だ。ブドウの栽培や収穫作業の様々なプロセスを自動化するためのロボットの開発も盛んに行われている。例えばブドウ園の収穫作業は、すでに機械が9割ほどを賄っているが、ブドウの剪定《せんてい》や光を調節するために葉を切る作業にはまだ使われていない。カリフォルニア大学デービス校では、ブドウ園でブドウの特性を計測するロボットを開発しているところだ。このロボットは今、ブドウ園の中を駆け回り、糖濃度や、フェノール濃度を測ることができるが、将来的には病原体をやっつけたり、収穫量を予測したりできるようにすることが目的だ。今はこのような作業を、人間がトラクターに乗って、ブドウのサンプルをビニール袋に入れて潰し、計測するという、いたってアナログな方式を使っている。これから5－10年の間に、ワイン栽培ロボットの技術が進化することに期待が高まる。

ワインのSDGs

さらに将来に向けて、資源の有効活用も業界全体が力を入れている研究課題だ。

ワイン業界は水を大量に使うことでも知られている。そしてその使い道のほとんどは、製造機器の洗浄だ。ワインはpH3－4程度でアルコール濃度も13－15％ほどあるため、病原体となる生物が機器内に育つことはまずない。病原体が育ちやすい牛乳と比べたら、毒性の有無の観点で言うと心配要素が格段に少ないのだが、ワインは少しの混入物でも味や香りが左右されてしまうもの。ワインを台無しにしないために、ワイン製造者は神経質に機器を掃除するわけだ。機器を使うたびに除菌や掃除がされるが、結果、使われる水の量はワインボトル1本に対して5本分。「他の業界と比べると驚くほどの数値ではないのかもしれませんが、ワインのブドウが育つ地域の多くは、水が潤沢ではない場所です」とブロックさん。酪農業界が開発した自動洗浄システムをもとに、改良が進められているが、カリフォルニア大学デービス校では水の使用量を減らすだけではなく、建物の屋根から集めた雨水だけを使った自動洗浄システムの確立を目指す。汚れた水は捨てるのではなく、洗浄液と水を再び抽出し、何度も再利用する。目標は5年間で、ワインボトル1本に対して1本分まで水の使用量を落とすことだ。

この構想を実際に実現しているのが、大学が所有するモデルワイナリーだ。ブロックさんが「世界一サステナブルなワイナリー」と称するこの施設は、自動洗浄システムの運転もだが、施設内の電力を太陽光発電で賄っており、曇っている時や夜間も電気を使えるようにするため、電気自動車で使われていた中古の蓄電池に余剰電力を貯めている。実験向けのミニチュア施設ではなく、実際にナパバレーの小さめなワイナリーに匹敵する大きさだ。モデルワイナリーは11年前に建設されて以来、何千人ものワイン製造者が最新技術を見物しにきた。「実際にサステナビリティや自動化面で、モデルワイナリーで見たものを自身のワイナリーに取り入れたワイン製造者はたくさんいます。それはまさしくこのモデルワイナリーのあるべき姿であって、業界トップの研究機関として、我々は最新技術が可能にする現実像を業界人のために体現するべきなのです」

娯楽のための仕事は、楽しむもの

ブロックさんは、ワイン作りを生業にしている人は皆、自分の仕事が大好きな人ばかりだと言う。先端技術を積極的に取り入れるのはそのためだろうか。「私がカリフォルニアへ来る前まで働いていた業界では、仕事に情熱を持っていない人はたくさんいました。そんな状況を見てきたからこそ言えますが、ワイン業界で、ワインについて情熱を持っていない人はなかなか見つかりません。最終的にワインは楽しむためにある商品ですし。ワイン業界に進む人は、食べ物とマッチングしたり、様々な地域のワインや食べ物を味わって、家族や友達と一緒に楽しむというところに魅力を感じています。大学ではワイン作りの科学面を重点的に学習しますが、あくまでクリエイティブなことをするために使うツールなので、科学の中に溺れて楽しみを見失わないでほしいです。もっとたくさんの人が、キャリアパスとして検討してくれることを願っています」

テーマパークの夢を紡ぐ教育課程

——テーマ空間学（アメリカ・フロリダ州）

日本人からこよなく愛される東京ディズニーランド。日本の他にも世界中にディズニーのテーマパークは存在するが、中でも規模がずば抜けて大きいのがアメリカのフロリダ州オーランドにあるディズニー・ワールドだ。テーマが違う４つのパークで構成されている。総面積で見ると、東京の山手線の内側の面積を軽く超える規模感だ。

しかもオーランドにあるのはディズニー・ワールドだけではない。他にもユニバーサル・スタジオをはじめ大手のテーマパークが集まり、リゾート客は湯めぐりならぬテーマパークめぐりができてしまうのだ。地元の産業はと言うと、テーマパーク運営会社やそれを支える企業が集まって、まさしく世界のテーマパークの中心地とも言える。

そんなオーランドで、テーマパークの「夢」の作り方を学問として研究したり実践を通して教えたりする大学プログラムが、２０１０年代後半から続々と現れている。これらのプログラムが扱うのは、テーマパークをはじめ、レストランやカジノなど、テーマ性を持つ空間の演出やその建築だ。

そのうちの一つが、フロリダ大学のテーマ空間統合修士プログラムだ。このプログラムを牽引するのは、建築家のスティーブン・グラント氏。この道42年のベテラン建築家で、うち28年をディズニーのアトラクションの企画を行うウォルト・ディズニー・イマジニアリングで、建築家として働いてきた。

「この学科の教育課程には、私がキャリアをかけて学んできたことを全部つぎ込みました。テーマパークの建築を含むテーマ空間の設計は、学問としては新しい分野です。その分、教えるべきことや研究すべきことが多く、私たちの大学もプログラムの開設に踏み切ったのでしょう」と彼は言う。

憧れの地、オーランド

フロリダ大学のプログラムでは、テーマパークへ就職希望の学生が世界中から集まる。アトラクションを設計する上で必要となる基礎的な工学知識や建築知識を学ぶためというよりは、機械工学から会計学まで、多種多様な学部を卒業して基礎知識を持った学生が、テーマパーク業界をより理解しそれぞれの専門分野をテーマパークで活かしていくために来る。もしくはフロリダ大学の建築科の学生が修士プログラムの一環としてプラスアルファで授業を受けることもある。フロリダの他の大学でもテーマパークを専門とする修士プログラムがあり、外見のデザインを統括するアートディレクター養成に向いたプログラムがあったり、ホスピタリティや観光学の修士プログラムの一環として、テーマパーク業界の全容を学んだりすることができる。

「うちの大学のプログラムに来る学生は、ほとんどがテーマパークへの就職、特にウォルト・ディズニー・イマジニアリングで働くことを夢見て入学してきます。私が入社した頃は知名度が低くて、私自身、たまたま新聞広告を見て応募してみただけだったのですが。今の若い人には名前がよく知られていますが、現実的に、皆が皆ウォルト・ディズニー・イマジニアリングで働けるわけではないですよね。そこで、他にも山のようにテーマパーク産業を支える企業があることを見せ、自分が最もときめきを感じる企業を見つけてもらうのも私の仕事の一つです」とグラントさんは語る。おかげで、今のところは就職率100%。ほとんどの学生が、ディズニーやユニバーサルをはじめ、クリエイティブ制作を担うスタジオや物資を製作する会社など、オーランドの企業に就職するという。

世界観は壊すべからず

この学科で、グラントさんが一番重視するのが、超抜群のコミュニケーション能力を養うことだ。テーマ性を持ったエンターテインメントを形にしていく場合、他の業界以上に、全く畑違いの分野の人とコミュニケーションを取る機会が多い、というのがグラントさんの見解だ。

「学生はみんな、テーマパークをデザインしたいという気持ちで入ってきます。でも実際のところ、それは誰かが一人で部屋に籠もってデザインしたものを建築家やエンジニアが形にするということではなく、100種以上の分野の専門知識が集結してデザインされた共同制作物なのです。例えば照明だけでも、ショーライトや、視認性のための照明や、テーマライトをはじめ、5〜6種類あるのです。学生が一番優れた建築家や、一番優れたエンジニアになる必要はないですが、大勢の人と協力することに関して一番優れた人材になる必要はあります」とグラントさんは語った。そこで入学して最初のセメスター（学期）はひたすら、コミュニケーションを系統的に学んで実践することを行っている。グループで行う実習でライド（乗り物）やショーを設計し、必要物資を全てまとめた60ページ超の企画書も作る。

実際に就職した時に遭遇する課題についても学習する。グラントさんが言うには、一般的な建築家と比べてアトラクション制作に携わる建築家にとって課題となるのは、安全面への配慮や条例で定められた規定を守りつつ、デザイナーが描いているものなどの必要要素を、テーマ性を壊さずに実現する方法を考えることだ。例えば非常口サインを設置する場所。洞窟を模した空間に、あからさまな出口表示があっては洞窟の雰囲気がきれいさっぱり消えてしまう。また、火災の可能性を考慮し、消防車が入りやすいレイアウトも担保する必要がある。

建築に使う材質も大切だ。

「例えば、一年中高温多湿のフロリダでは、木材は劣化しやすく厄介なので建築物の素材に向いていません。ですが世界観を作り出すために木材を使いたい場合は往々にしてあります。そうした時は代替品でプラスチックやコンクリートを使うことが考えられますが、これもまた材質の特性を考慮する必要があります。プラスチック製の建築物は、燃えた時に有毒ガスが発生し危険なので、プラスチックの種類や使う場所に関してはノウハウが蓄積されています」とグラントさん。

世界観を守るためには外見はもちろん、質感の美も損なってはならない。木材の簡単な代替案として、発泡スチロールのような材質を堅いプラスチックでコーティングして木材に見せるといった方法があるが、もし来場客が触ってノックすることがあったら、安っぽく感じてしまう。「そこで、手の届くところだけは本物の木材を使い、手の届かない高い所にだけプラスチックを使うなどといった判断を下すのです」とグラントさんは言う。

キャリアの中でのラーニング

グラントさんのキャリアの中では、こんなことがあった。ディズニー・ワールドのショッピング施設、ディズニー・スプリングスの建築を任されていた時のこと。アートディレクターが、壁を１９２０－30年代の南フロリダ風の建築様式にしたいと言ったことがあった。その建築様式は継ぎ目のないコンクリートの壁を使った美しいものだったが、現代では、コンクリートに継ぎ目は絶対に欠かせない。コンクリートは割れる可能性があり、割れると水が入り込んできて危険だからだ。１９２０－30年代当時は壁の厚さが１メートル近くあり、今よりずっと厚かったのでコンクリートに割れ目が少し入っても問題視されなかったが、現代の薄い壁では、継ぎ目なしに壁を作ってしまうとひび割れによるリスクが高くなる。結局折衷案として、見えにくい継ぎ目を作るに至った。

ディズニー・スプリングスの建築では、消防保安官とも密に連携する必要があった。

「火災の際に消防車をどう入れるかだけでも、考慮する点は山のようにあるのです。普通の人はあまり思いつかない点だと思いますが、まず消防車が入れないと話になりません。消防車が最大限ハンドルを切って旋回した時に外側のタイヤが描く半径を把握しておく必要がありますし、敷地内の木の高さや、枝の高さ、そしてどこから消防用水を引くかや、水圧が十分かなど。意外と、非常に複雑なんです」とグラントさんは言う。ちなみに消防保安官とはこうして何千点もの点検を共にして、個人的にもとても仲良くなったそう。

オーランド付近にプロがたくさん働いているが故に、グラントさん以外にも、ゲストスピーカーを招いてこのような話をしてもらえるのもこの学科の醍醐味《だいごみ》の一つだ。プログラムを開設してから3年間で、120人のゲストスピーカーを迎えた。

テーマパークの夢世界を紡ぐことは、人を紡ぐこと。テーマパーク業界のそんな一面が窺える。

コラム

テーマパークを作る場所

フロリダ大学のテーマ空間統合修士プログラムでは、テーマパークの歴史についても学ぶ。その一例を紹介したい。

テーマパークは、ヨーロッパの庭園から始まった。17世紀頃から一般市民が歩き回ったり、ピクニックをしたりするために公共の庭園が作られ、次第にコンサートホールや、ミニ動物園などのエンターテインメント要素が加わった。こうした庭園にライドも加わるようになったのが、初期のテーマパークの姿だ。

今でこそテーマパークの中心地として世界に君臨するオーランドだが、昔はヨーロッパの庭園からは程遠い姿をしていて、特に有名なものがない湿地帯だった。そんなオーランドが、全米の観光客数トップの都市にランクインできるほどテーマパークが盛んになった理由は、土地と、道路だ。

一番最初にディズニー社の創業者、ウォルト・ディズニーが作ったテーマパークは、カリフォルニア南部のディズニーランドだ。その後、別の場所でもテーマパークを作ろうとディズニーは決意したが、その時に最も重要視したのは広大な土地の確保と、周りに何もないことだった。これはカリフォルニアのディズニーランドの「失敗」を挽回しようという思いが込められていた。ディズニーランドの建設当時は、ディズニーランドの周りはひたすらコーン畑やオレンジ畑が広がるような土地だったのに、次第に住宅街や、ダサいホテルやモーテルが建つようになってしまったのだ。ディズニーはそれが気に入らず、次に建設するなら最初から辺り一面を夢空間にできる桃源郷を作ろうと意気込んでいた。実現可能性の調査をしたところ、オーランドが候補地として挙がった。

一帯の土地が全然使われていなかったことに加えて、オーランド付近で主要な高速道路2本が交わることも大きなメリットだった。車社会のアメリカでは、高速道路が近いほうが各地から人が来やすいわけである。ディズニー・ワールドに釣られるようにしてユニバーサル・スタジオもオーランドにオープンし、両者を支える企業が育ち、それが故にもっとテーマパークがオープンしやすくなる……というサイクルで、オーランドはテーマパーク都市へと変化していった。

カジノの有名地では、統合型リゾートは研究の最先端
――ギャンブル研究・エンターテインメント工学（アメリカ・ネバダ州）

カジノで有名なラスベガスの観光地の「ストリップ（大通り）」。そこでは、きらびやかなドレスやテイラーメイドのスーツを着こなした客が集い、ギャンブルのチップが交わされる音が鳴り響く中、裏では闇組織の取引が……。

……なんていうのは、かれこれもう50年ほど前の話。現代のラスベガスのカジノはと言えば、もっとずっとクリーンになり、企業経営的な文化が浸透している。カジノを中心に、商業施設や宿泊施設やテーマパークを1か所に集結した「統合型リゾート」を運営する経営層は、ＭＢＡ取得者や、それぞれの分野で博士号を取ったエリートたちだ。ビジネスである以上、利益を上げることは最低条件だが、利用者がギャンブルと困った付き合いをしないようにと、カジノを運営する企業が自ら依存症対策を支援するプログラムを積極的に開発する時代だ。

そして目まぐるしく進化し続ける業界を支えているのが、ネバダ大学ラスベガス校の国際ゲーミング研究所だ。カジノの聖地ラスベガスで、リゾート運営会社やカジノゲームを提供するゲーミング会社と連携しながら、ギャンブルに関するあらゆる研究を行っている。

研究所は、相談所

国際ゲーミング研究所は、ギャンブル依存症の研究をはじめ、カジノやオンラインのゲーム開発、世界のギャンブル規制、カジノが地域に与える経済的効果など、ギャンブルが関係するトピックの全てを守備範囲としている。大概の場合、業界側から相談を受け、研究プロジェクトが発足していく。教員がプロジェクトチームに加わることもあれば、学生にコンペ形式で提案をしてもらう場合もある。

過去には、実際に起きたスキャンダルを題材に、カジノでのイカサマ行為を防止するための案を提供したこともある。この時題材にしたのは、バカラのテーブルで10億円相当の勝利を手にしたポーカープレーヤーの手口だ。彼は、エッジソーティングと呼ばれるテクニックを使った。エッジソーティングとは、同じカードのデッキでも、カード裏面のプリントのごくごく微細な印刷のズレや欠陥による模様の違いを覚えて、カードを見極めることを言う。今後このようなことが起こることを防止するにはどうしたら良いか、というのがお題だった。学生にコンペ形式で提案を募ったところ、模様が見えなくなるよう、カードが出てくる箱を白色のライトで照らす技術のアイディアがコンペで優勝し、特許取得に至った。

日本の統合型リゾート

国際ゲーミング研究所の拠点はラスベガスだが、世界でも数少ないギャンブリングの研究所なので世界中から相談が舞い込んでくる。日本からの調査依頼も例外ではない。

日本で公的に認められているギャンブルといえば競馬やパチンコなどいくつかに限られるが、2016年には日本でも統合型リゾート（IR）を推進する法案が可決された。統合型リゾートの中でもラスベガスやマカオやシンガポールのものは有名で、シンガポールのマリーナ・ベイ・サンズの場合、船の形をした屋上プールで有名なホテルと、高級ブランドが並ぶ巨大ショッピングモール、世界最大級のカジノ、会議場、ホテルのすぐ外にある博物館が1か所にまとまっている。シンガポールの象徴として有名なマーライオン像もホテルの向かいにある。このような統合型リゾートの施設を日本でも作り、観光拠点にすることが、ＩＲ推進法のねらいとされている。

国際ゲーミング研究所の研究部長のブレット・アバーバネル博士は、同僚とともに日本の統合型リゾートについて調査を行った。「カジノを含んだ統合型リゾートを日本にドンと置いた時、どのような社会的・経済的影響が見込まれるかを調査したのと、過去にラスベガスが犯罪組織を追い出しカジノ経営を企業的な文化に転換していった方法について報告書をまとめました。日本では、カジノを含むリゾートが暴力団体にどのような影響をもたらすかが大きな議論になっているので、その懸念に対する参考材料として作成しました」と彼女は語る。

日本は元から賭博好き

統合型リゾートについて多くの一般市民が懸念しているのが、ギャンブルに対する依存症を持つ人が増えてしまうなどの社会的な悪影響だが、国際ゲーミング研究所は日本の場合、統合型リゾートを開発することで依存症の人が増えるリスクは低いと結論づけた。国際ゲーミング研究所は分析結果をこう綴っている。

「日本は人口一人あたりのゲーミング台数が世界で2番目に多く、日本では現在、いくつかのタイプのゲーミング／ギャンブルが合法化されており、その全てが数十年の間形を変えつつ提供されてきた。つまり日本の社会はギャンブルに対し非常に露出度が高く、その期間も長期に及んでいると言える」

もう十分賭博と触れ合う機会を持っているため、少なくとも導入当初の「物珍しさ」が薄れれば弊害は低いだろう、とのことだ。

だが同時に、報告書は依存症の治療や予防を支援するプログラムの必要性も強調している。「弊害が低い」と言うのは、科学的根拠にもとづいた治療および予防プログラムが発展すれば、の話だ。日本はいざ依存症に陥った時のサポートが限定的で、改善の必要性は非常に大きい。

「ギャンブルをする95％の人は、何も問題なく楽しむことができています。依存症などの問題に発展するのは残りの５％ほどの人ですが、被害は伝染するものです。ギャンブルをする本人だけではなく、家族や知り合いにも影響が及ぶ。それを認識することが非常に大切です」とアバーバネルさんは言う。

依存症による被害が起きてしまう前に防止することが必要なため、近年では統合型リゾート各社が「レスポンシブル・ゲーミング（責任あるゲーミング）」推進に取り組んでいる。

企業側から、カスタマーサービスの一環として、依存症に陥ったり、困った行動に出ないよう、支援をしてくれるのだ。取り組み例としては、脆弱層に向けて広告の表示を控えたり、ギャンブルができる最大料金をプレーヤー自身が事前に設定できるようにしたり、プレーヤー自身がプレーできなくなる期間を設定する自己除外などが挙げられる。

企業が自ら依存症防止の支援をする目的とは？　利益を出すことを目指すのであれば、企業にとってのメリットは何なのか？　とアバーバネルさんに聞いたところ、「大企業は一般的に、心のない組織のように捉えられがちだが、結局、大企業で働いている人も人間」という見解だった。

「各社でレスポンシブル・ゲーミングの部長になるような方は、純粋に被害を食い止めたいと思っている印象を受けます。例えばリゾート企業大手ＭＧＭグループの部長は臨床心理士ですし、スポーツ賭博会社ドラフトキングの部長はオレゴン州問題ギャンブル委員会の会長だった方です。このような役職に就く方はギャンブルだけでなく、依存症や、被害の広がり方を深く理解しているのです。こうしたトレンドが見られることは、企業文化の中にも人間味が見えて、将来への希望を感じます」とアバーバネルさんは言う。

こうした取り組みを考案する際に課題となるのは、各国の文化の違いだ。国際ゲーミング研究所がかつて携わった案件の一つに、韓国の事例がある。韓国のカジノのほとんどは外国人観光客向けだが、２０００年には韓国人も入れるカジノがオープンした。その際、国際ゲーミング研究所に『被害を食い止める上で、ネバダで成功したことは何か』と相談が来たのだ。依存症治療のための様々な治療方法や通院方法など、効果的な手法に関して国際ゲーミング研究所の研究者はノウハウを持っており、特に効果的なのがギャンブルのホットラインが提供されていることだと知っていた。ギャンブルをしている本人でも、その家族や知り合いでも、どんなギャンブル関連の問題でも電話して支援を受けることができる、というものだ。そこでそれを韓国でも再現しようと、１億円相当の資金が投じられてホットラインが設置された。

ところが、韓国では誰もホットラインに電話をかけてこなかった。研究者たちが後から気づいたのは、アメリカではホットラインの見知らぬ相手に自分の悩みを打ち明けることに抵抗がなくても、韓国の文化では自分の悩みを会ったこともない人に易々と開示する文化がない、ということだ。以後、韓国では、プライバシーや匿名性に関する規定を変え、オンラインで匿名で相談できる方法が採用されるようになった。

「世界中でカジノやＩＲ施設を運営する企業にとって、責任のあるギャンブルの楽しみ方を推進するという目標は、どの国で施設を運営するにあたっても変わりませんが、導入の方法は慎重に考える必要があります。日本でも当然、ギャンブルをする人の属性や習性は他の国と違うでしょう」とアバーバネルさんは語った。

エンタメの世界

統合型リゾートには、カジノ以外にも他のエンターテインメントが欠かせない。

ネバダ大学ラスベガス校では、ショーなどの見世物用に様々なセットや道具を開発するエンターテインメント工学の学科もある。世界でも数少ない教育の場として、ラスベガスや世界各国の都市で活躍する次世代のエンジニアを輩出している。

学科を統括するのは、この道30年のベテラン、マイケル・ジェノーバ教授だ。元々、年間400本のショーを開催する会社で、宙づりに関わる技術者として働いていた。宙づりはここ30年で大きく変化した技術の良い例で、コンピューターの自動制御能力が飛躍的に向上したおかげでもっとずっと複雑な演出ができるようになった。昔は手動でロープを操っていたものが、現在ではコンピューターの力がなければ安全性が確保できない域へと進化している。

卒業式で、エンターテインメント工学の卒業生が宙づりで登場（写真提供：UNLV Photo Services）

ネバダ大学ラスベガス校では、最先端の技術をエンターテインメントの現場で活かすため、プログラミングや電気工学から機械工学まで、必要な全ての知識を学生に叩き込む。ジェノーバさん自身、設計から制作まで、宙づり技術のほぼ全ての過程に関わった。エンターテインメント向けの学科だけあって、演劇の授業も必須だ。そして、新しいものを観客に見せるために壮絶なスピードで進化し続けているエンターテインメントに関わるからこそ、最先端の技術と斬新なアイディアを教育に取り入れることも必須だ。そのため、ラスベガスの著名なエンターテインメント団体が顧問委員会に所属し、業界の最新トレンドに沿った教育ができるようにしている。一般的な工学部と違って、まず安全に機能する機械の仕組みを作るだけにとどまらず、観客が見てあっというようなものを提供するための仕組みを作ることが求められる。

デジタルの最先端

ジェノーバさん曰く、エンタメ業界がとにかく注目しているのは、ドローンが群れをなして動く「ドローン・スワーム」の技術だ。ドローン・スワームは、ドローンが群れをなして動くだけではなく、ドローンの機体同士がコミュニケーションを取ることでより複雑なミッションを自動的に行うことができる。そのため近年、災害時の救助活動や、国境のパトロールをはじめとする軍事利用などで特に注目されている技術だ。

そんなドローン・スワームの技術は、エンターテインメントの観点からは未だかつてない臨場感を与えてくれる技術なのだ。ドローンの各機体にLEDを搭載すれば、動き回る光の群舞となる。こうしたドローンのパフォーマンスは、アメリカでは、スポーツイベントのハーフタイムなどでよく登場するようになってきた。

「典型的な劇場での観劇では、ライティングはステージの周りだけにあって、観客から遠い位置にあります。それに比べて、ドローンは、観客の近くにやってきて、より臨場感のある演出ができる。私が初めて見た時は、本当に幻想的だと思いました。手を伸ばせば、届くかのように感じますから」とジェノーバさん。ベテランでも感動する新技術のようだ。

ただ、ドローンが万一落下し、観客やパフォーマーが危険にさらされるようなことは許されない。そのため、何か一つのパーツや飛行アルゴリズムが不良に陥ったとしても、別の部分でカバーできるようにと、機能にある程度余裕を持たせリスクを回避することが求められている。人間の場合、目が一つ傷ついてしまってももう片方の目でしのげるのと同じだ。次世代のドローンでは、故障したドローンが落下する前にパフォーマンスを行っているドローン群の中から抜け出し、元々予定されていた着地地点に到達してシャットダウンするように設計されている。

ジェノーバさんは、安全性は授業でも議論することが多いトピックだと言う。「悲しいことにエンターテインメント業界では、パフォーマンス中の事故でパフォーマーが亡くなることもあります。安全性は工学分野全般にとって基本中の基本ですが、エンターテインメント用の技術でも安全性は第一です。パフォーマーにも観客にも、危険が及ぶことはあってはならないことです」

多様な楽しみ方に向けて

ドローンに加えて急激に進化を遂げているのは、現実や仮想を組み合わせたあらゆる環境を指すエクステンデッド・リアリティ（XR）の技術だ。XRには、完全に人工的なバーチャルな環境を作り出す仮想現実（VR）や現実界にバーチャルの世界の物体を被せる拡張現実（AR）などが含まれる。ジェノーバさんとともに教鞭をとるS・J・キム博士は、XRを使った次世代の見世物の開発に取り組んでいる。キムさんはまず、ラスベガス名物でもあるベラージオの動く噴水の上に、ラスベガスの別の場所で行われているショーを投影するといった手法を考えている。「VRも楽しいですが、バーチャルな現実は視覚健常者しか楽しめず、インクルーシブな楽しみ方ではありません。いろいろな五感を応用した現実を組み合わせるほうがこれからのエンターテインメントには良いと思います」とキムさん。ユニバーサルデザインの観点から、より多くの人が楽しめるエンターテインメントを考えることも、今の時代では重視されるようになってきているそうだ。「カジノばかりが注目を浴びがちですが、ラスベガスは最近話題のデジタル・エクスペリエンスの最先端を行く街でもあります。真新しい技術を真っ先に取り入れてこそ、目新しいものを観客に見せることができるのです。おかげで、長くこの業界にいますが、魅了されっぱなしです」とキムさんは語る。

ギャンブルの研究もだが、エンターテインメントの都市をより楽しいところにしようとする彼らは、アメリカ流のオモテナシを追求している、とも言えるのかもしれない。

weird research

Part2

場所が変われば、研究も変わる

先祖が住んだ海の国
――水中考古学（オーストラリア）

車がなかったその昔。人類が乗り物で事故に遭うといえば、船の難破だ。「人類は農作物の作り方より前に、船の作り方や航海するすべを知っていた」と言われるだけあって、世界中の海底には少なく見積もっても３００万隻の沈没船がゴロゴロ眠っているとされている。こうした沈没船をはじめ水中遺跡の調査を行うのが、水中考古学だ。歴代の発見の一例では、水中考古学の父と呼ばれるジョージ・バス博士が、ツタンカーメンのもとへ向かっていたと思われる沈没船から金銀宝石類を見つけ、紀元前14世紀頃の貿易の様子を明らかにした。またイギリスでは、１５４５年に沈没したイギリス艦隊の軍艦メアリー・ローズ号が見つかり、当時軍艦に使われていた大砲や火砲や弓矢といった武器に加え、人骨も回収され、チューダー王朝時代の生活を理解する手がかりとなった。そして日本では、長崎の海底で元寇の際の船が発見され、いかりや船に向かって伸びるロープの配置を分析することで元軍の撃退につながった神風の進路が推定できた。

沈没船の他にも、水中考古学にはギリシャ神話に出てくる古代エジプトの都市ヘラクレイオン（別名トロニス）や、イスラエルの古代の村のアトリットヤムをはじめ、海に沈んだ都市の発掘や、第一次・第二次世界大戦で沈んだ戦闘機の調査が含まれる。

ロマンを掻き立てられる水中考古学だが、オーストラリアのフリンダース大学准教授ジョナサン・ベンジャミン博士は、アメリカ・カナダ・南アフリカ・オーストラリア・ニュージーランドなど、かつて西欧諸国の植民地として開発された国々にとっては、水中考古学は今、社会的な意識転換を後押しする可能性も秘めていると話す。

というのも、こうした地域では未だに植民地主義の傷跡が残り、先住民の権利や貧困が大きな社会問題なのだ。近年、北米やオーストラリアの学術界や一部企業では「ランド・アクノレッジメント（領土の承認）」と言って、大きな学会やセミナーの開始時に「元々○○族の土地であったこの場所でこのイベントを行っていることを改めて認識しようと思います」といった趣旨のスピーチが行われることがある。こうした取り組みから見られるように、一般社会の意識は高まっているのかもしれないが、実際に先住民の福祉につながるのかというと、疑問が残る。

一方で水没してしまった先住民の生活場所の調査を行うことは、先住民の歴史をより深く理解する手助けになったり、水中の開発プロジェクトから先住民の遺物を守ったりすることにつながる。先住民族の祖先が暮らした遺跡も、沈没船のように、山ほど水中に眠っているはずなのだ。

「もちろん、沈没船が多く見つかる国で沈没船の調査をするのは素晴らしいことです。ですが水中考古学で調査できる遺跡の種類はもっとずっと多様です。氷河期の間、海面の高さはもっとずっと低かったので、世界中の大陸棚に人が住んでいたことは大いに考えられます。今、水深10メートルや20メートル、いや80メートルの海底になってしまった場所でも、何万年もの間、人々が生きて、働いて、死んでいったのです。多くの遺跡は海によって破壊されてしまったかもしれませんが、何千もの遺跡がまだ残っていると思うのです。日本だって、中国との間に巨大な海がありますが、そこはかつて陸橋だったので、科学的、文化的な知識を得るとても大きなポテンシャルを感じます」とベンジャミンさんは言う。

ダイビングは必須！……ではない

水中考古学はまだ比較的ニッチな学問だが、水中考古学を含め考古学分野自体は規模が成長しているところだとベンジャミンさんは話す。文化遺産の管理に対して関心が高まっていることも一つの要因だが、環境コンサルティングやインフラ開発でも考古学的調査が必須となるため、専門知識を持った人が求められる。水中で行うものだと、水中の空間計画、水中の情報通信網の整備、石油やガスのパイプラインの建設、港やマリーナの建設、洋上風力発電所の設置が活発化しているのだ。

海外でも水中考古学で学位が取れる大学は比較的珍しい。学位が取れる教育課程を提供しているのは、大物教授がかつて着任した先の大学や、エジプトやイスラエルなど海中の遺跡が見つかっている国の大学院であることが多い。

フリンダース大学のプログラムの中では、水中考古学の歴史や調査方法について学んでいくが、オプションでサイエンスダイバーの資格を取ることもできる。サイエンスダイバーとは、学術調査を行うためにダイビングを行う人のこと。水中でコミュニケーションを取る方法や、遺跡の3D画像化に使う撮影機器の使い方、遺物から堆積した泥を吸い取る巨大なホースのような機械の使い方なども学んでいく。ちなみに調査のために海へ潜るサイエンスダイビングは娯楽のダイビングと違って、必ずしも美しい海で泳げるとは限らない。視界が悪かったり、ヘンなごみが流れたりするような場所ででも、調査すべきものが

浅瀬で石器を探すダイバー（写真提供：Jerem Leach, DHSC Project, Flinders University）

あるから潜るのだ。

　ダイビングの講義と実習は水中考古学のプログラムがある多くの大学で提供され、フリンダース大学も、大半の学生がサイエンスダイバーの資格を取る。資格の条件は国によって異なり、運転免許のように各国で通用する切り替えの制度が整っていないのが現状だ。

水中考古学者というとダイビングをしているイメージがあるが、実は全く水中に潜らない水中考古学者もいる。「海中に潜って遺産を見つけるのも水中考古学の醍醐味の一つですが、水中考古学の専門性が必要とされるのはそうした場面だけではありません。デスクワークで、長い月日をかけて制度づくりをしたり、コンプライアンスの報告書を書いたりすることも必要です。遺跡の調査に出向く時でも、ずっとボートの上で分析をしたりしていて一度も潜ったことのない人もいます」とベンジャミンさんは言う。

水没した生活地

ベンジャミンさんは、有史以前の水中遺跡を専門としている。北半球では、イギリスとデンマークの間にある北海からネアンデルタール人の遺跡や、フランスの水中洞窟から石器時代の壁画などが見つかっているが、南半球ではこうした遺跡が一つも見つかっていなかった。以前はヨーロッパを拠点としていたベンジャミンさんは、オーストラリアに来てからは水没したアボリジニの遺跡があるだろうと考えた。

直近の氷河期には、オーストラリアの陸地面積は今よりも30％大きかった。オーストラリアに初めて人間がやってきたのは6万5000年ほど前のこと。その時海面は今よりも100メートル低く、東南アジアから海路でやってきた人間たちがまず辿り着いたのは、今はもう沈んでしまっている大陸棚のどこかのはずだし、何世代にもわたりアボリジニの人が住んできた海岸地域は今頃海底に沈んでいるはず。そこで2017年に調査を開始した。調査団はターゲットを西オーストラリア州ダンピア諸島に絞り、2年かけて上空から当てたレーザーや船から放った音波のデータを使って海底の姿を画像化し、さらに候補地を絞っていった。そして2019年に実際にダイバーが潜り探索したところ、海底にある淡水泉付近で石器が見つかった。調査団は、8500年前のものだと推定している。他にも別の場所で7000年前頃のものと思われる石器が見つかり、プロジェクト全体で300点近くの石器を発見した。

このプロジェクトは、西オーストラリアのアボリジニの団体ムルジュガ・アボリジニ社と連携して行われた。アボリジニは、海のことを「シーカントリー（海の国）」と呼び、地形やそこで生きている生き物、生きてきた生き物、水中の季節の移り変わりなどを一つの複雑な存在として捉えている。シーカントリーでアボリジニの遺跡を研究することの許可をもらい、進捗があると報告し、遺物を見つけてサンプルを取り出した際も、大学で保管しても良いか、戻すべきかなどの相談をしつつ進めていくのだ。

連携する中でこんなエピソードがあった。プロジェクトのメンバーである西オーストラリア大学のミック・オリアリー博士がアボリジニの長老たちに研究成果を発表しに行った時のこと。淡水泉の場所を見せると、90代の長老が興奮し始めた。後々事情を聞いたところ、先祖代々伝わってきた歌の中でその地形が歌われているというのだ。アボリジニの文化では、地形の位置関係を伝えるために、地図を作るのではなく歌が作られてきた。川や泉や目印となる地形について歌い、代々受け継いでいくのだ。今回の歌の歌詞の半分は今でも地上にある地形について触れているが、残りの半分は例の泉を含め今日では見られない地形について触れていると言う。泉が海中に沈んだ時期を考えると、その歌は少なくとも1万年前から伝わってきたことになる。

進化途上の水中考古学

ベンジャミンさんは、水中考古学は今まさしく転換期にあると話す。
「今まで、水中考古学は陸の考古学と同じように、植民地主義を美化してきてしまったところがあると思います。世界各地で植民地化を進める上で使われた船や奴隷船が、貴重な発見としてもてはやされてきたからです。これから水中考古学を担う新たな世代の研究者は、この分野を植民地主義の影響から解放しなければならないし、解放の仕方も慎重に検討する必要があります。

植民地主義の影響はヨーロッパや日本ではあまり感じられないことでしょうが、北アメリカやオーストラリアや南アフリカでは、未だに植民地主義の痕跡が社会に根強く見られます。このプロジェクトをはじめ今後の水中考古学は、社会的な負の遺産をなくしたり、軽減したりするものであるべきなのです」

今後さらに調査が進めば、オーストラリアに人類が辿り着いた頃のことがより深く理解できる可能性がある。そこで課題となるのが、広大な海から効率的に遺跡を探し当てることだ。同じくフリンダース大学で研究を進めるジョン・マカーシー博士は、遺跡にありがちな特徴を人工知能に学習させ、より効率的に見つけるための予測モデルを開発している。彼は急速に発展するデジタル考古学の専門家で、最先端のデジタル技術を水中調査に活用することを目指している。

過去10－15年間では、被写体をいろいろな位置や角度から撮影したものを統合して3Dモデルを立ち上げるフォトグラメトリの技術や、海底の3Dデータを解析する技術が発達してきた。おかげで時間も節約できるし、ダイビングをしている際にはわかりにくい鳥《ちょう》瞰《かんず》図的な視点から分析が行えるようになった。マカーシーさんの人工知能では、高解像度で海底のフォトグラメトリ調査を行った後にアルゴリズムを実行し、遺物が見つかる可能性が最も高い箇所を洗い出すという仕組みだ。ダイバーが潜ってもなかなか遺跡や遺物が見つからないことがあったが、この技術が発達すればさらに高い精度で事前に候補地を絞り込み、見つかるまでの時間がさらに短縮できる見込みだ。

水中遺跡を守れるか？

シーカントリーに眠る遺跡は、石油のインフラやパイプラインの開発、港の建設、海底の浚渫《しゅんせつ》、採鉱廃棄物の投棄、大規模な漁業などによって壊されてしまう危険があるとベンジャミンさんは言う。２００９年には少なくとも１００年以上水中にあった遺跡の保護を趣旨とするユネスコの水中文化遺産保護条約が発効したが、オーストラリアは批准していない（ちなみに日本もしていない）。また、オーストラリアには75年以上水中にあった沈没船を自動的に保護する条例があるが、今回見つかったようなアボリジニの水中遺跡などは、その都度省庁から承認を取らなければならず、沈没船より保護が得られにくい立場にある。

まだ先住民の権利や継承物を守るのには多くの課題が残るが、風向きは変わってきているとベンジャミンさんは話す。「２０２０年に、資源採掘を進めようとするリオティント社が、アボリジニの聖地であるジュウカン峡谷を破壊する事件がありました。前からアボリジニ団体からの抗議は行われていたのですが、法的な許可を得たというのがリオティント社のスタンスでした。ところが、株主を含め多くの人がこのことに失望し、結果的に当時の社長が辞任するまでに至りました。

開発事業にとって遺産の保護は邪魔になりかねませんが、世間一般の先住民の権利に対する意識は変わってきていて、開発を進める企業も法的に必要とされる以上にアボリジニの意向を尊重しようとする姿勢が見られつつあります。まだ植民地主義の名残は残りますし、先は長いですが、私たちも研究を通して脱植民地化に貢献できればと思っています」

水中遺産が、社会的な負の遺産を解消できたなら、それこそロマンだ。

寒いと、モノは壊れやすい
——北極圏工学（フィンランド）

ある一定の気温を下回ると、人間、体のあらゆるところの毛が凍る。北海道や東北で冬を過ごしたことのある人はきっと頷いてくれるだろう。帽子の隙間から出ている髪の毛はもちろん、まつ毛や鼻の毛まで凍ってしまうのだ。

寒冷な地域の気候は人間にとっても厳しいが、近代技術で作ったモノに対しても全く優しくない。電気製品の充電はすぐになくなり、車のバッテリーも気を抜くとすぐに上がってしまう。建造物を作る時も特別に考慮しなければいけないことが山ほどある。冬に凍る路面のメンテナンスや建物の暖房構造はもちろん、低温下のコンクリートがどのくらいの強度をいつまで保てるか。土に含まれる水分が冬場に凍り、地盤の体積が増えることを見越してどの程度深く建物の基礎を設置するか。そんなことを加味した寒冷地域の工学的知識が蓄積してきたおかげで、近代的な生活が北の大地でも送れるわけである。

人間が住む場所からはるか離れたところで行われるインフラ建設もそうだ。例えば化石燃料を潤沢に持つロシアやノルウェーの場合、厚さ１００−５００メートルの永久凍土の下に石油やガスが溜まっている。１００メートル深く掘るたびに地中の温度は３℃上がるので、非常に深い箇所を掘ると石油は１００℃を超えることがある。それを採掘用の縦穴を通して地上に引っ張ってくるので、縦穴周辺の永久凍土は溶けてしまう。ロシアのスコルコボ科学技術大学の研究者らが発表した研究によると、採掘を30年続けることで縦穴から半径10メートルの永久凍土は溶けてしまい、地盤沈下が起こったり、その結果縦穴が壊れて石油が漏れてしまう可能性がある。永久凍土と縦穴の間で起こる熱交換を正確に予測することは、事故防止にもつながるわけである。

氷まみれの海での航海

フィンランドの場合、海の氷によって船が壊れてしまわないような工夫が昔から行われてきた。

フィンランドには、全ての港が冬場に凍ってしまうという独特の事情がある。北欧諸国の中でもこうした状況になるのはフィンランドだけだ。海経由の貿易が主流のフィンランドでは、1870年頃まで、冬になると「今年の営業は終了いたしました」と言わんばかりに経済が停滞する状況だった。

それを変えようと、当時の政府は動いた。彼らはいくつかの主要な港が冬場でも船を受け入れられるように、氷を砕く砕氷船を持つようになった。冬でも船が行き来できるように氷まみれの港を整備することで、産業界がフィンランド北部の事業にも投資しやすくなった。当時高価な最先端技術だった砕氷船を取り入れたのは、「フィンランドは近代的な技術的先進国である」というイメージをエリート層たちが国内外で普及させたかったためでもある。こうすることでともかく、冬場でも貿易が行われるようになり、1971年にはフィンランドの全ての主要港が一年中開港されることになった。今では一年中スウェーデンのストックホルムからフィンランドまで定期船が運航しており、エストニアのタリンへの航路や、北側からスウェーデンに渡るルートも開通している。フィンランドの輸入・輸出品の9割近くはこうしたルートを介し海経由で運ばれる。

氷まみれの海で航海する上で大事になるのが、氷雪荷重の対策だ。氷雪荷重とはこの場合、氷が船に衝突することによって船がくらう衝撃のことをいう。フィンランドのアールト大学教授のユッカ・トュックリ博士は、こう説明する。「北極圏の海を冬場に航海するということはすなわち、大型ハンマーで船をひたすら叩き続けるようなイメージです。氷の衝突は、小さな面積に高い圧力をかけます。こうした衝撃に耐えるため、冬の海で航海する船の船体は、普通の海を航海する船よりもずっと分厚い鋼でできているのです」

冬場の海を航海する商船には、自力で氷を砕いて航行できるものもあれば、海に浮かぶ氷に最低限耐える強度はありつつも砕氷船に手伝ってもらわないと港に入れないような貨物船もある。船の能力に応じてフィンランドとスウェーデン当局は船を「耐氷クラス」ごとに振り分け、真冬の2月頃には特に、本格的な耐氷能力のある船でないと入港させない。「港を運営する上では船の交通がスムーズであることが大事ですし、限られた数しかない砕氷船をたった一つの性能が劣った船舶を手伝うために使いたくはないわけです。安全面から考えても、後々困った状況に陥る危険のある船は入港させないほうがいいのです」とトュックリさんは説明する。

北欧ならではの実験場

トュックリさんは、こうした氷雪荷重や、氷の割れ方を研究する氷の力学の専門家だ。大学で実験を行ったり、常日頃から北極圏のスヴァールバル諸島や南極の海で氷を調べたりしている。

大学で実験をし、氷についての基礎研究を行うのを可能にしているのはアールト大学の巨大な水槽だ。アイスタンクと呼ばれるこの施設は巨大な屋内の40メートル四方のプールのようなもので、指定した寒さに温度を設定でき、氷を張ることができる。作る氷も、実験の用途に応じて厚さや強度が調節できるようになっている。氷で実験できる施設としては、世界でも最大級だ。

アイスタンクはまず、1970年代に船の耐航性能を調べる水槽設備として建てられた。船舶の模型の曲がり方を調べるために、船が円を描きながら動けるように設計してあるのだ。アイスタンクへと姿を変えたのは、実は80年代に入ってからだった。「80年代には、『北極ブーム』が起こったのです。70年代のオイルショックによって中東の石油の価格が高騰すると、北極圏に眠る石油に目が向けられるようになりました。北極で石油を掘ることはとてもコストがかかることですが、あまりに石油の価格が高騰している状況のもとでは、北極で石油採掘することも妥当な商売となるわけです。アラスカを縦断する原油パイプラインであるトランスアラスカ・パイプライン・システムが建設されたのもこの時期のことでした。こうして、世界から北極圏でのインフラ建設への興味が増したことを機に、

アールト大学のアイスタンク。寒いので、実験に立ち会うなら、コート必須（写真提供：Aalto University）

氷を張ることのできる水槽に改変することになりました」とトュックリさんは話す。2010年頃になるとリフォームされ、氷だけではなく波も作れるようになった。海水を再現するべく塩を入れると腐食が進んでしまうため淡水を使っており、湖や川の氷や、塩分が低いバルト海の氷が最も正確に再現できる。

アイスタンクを使った研究で2021年、トュックリさんの研究チームは興味深い研究成果を発表した。氷には温かい氷と冷たい氷があり、それぞれ割れ方が違うというのだ。実験では、トュックリさんたちは氷の温度を0・3℃に保ち、厚さ30センチメートル、長さ3メートル×6メートルの氷のシートをアイスタンクいっぱいに作った。これらシートを縦横に動かし衝突させることで、割れ方を調べた。アイスタンクの設備を使えば、ミクロン単位で断面を分析することができる。

「氷の割れ方はこれまで、マイナス10℃程度の温度、かつ長さ10－20センチメートル程度の大きさの氷で研究されることがほとんどでした。冷たい氷の割れた断面は不均一で、船にあたることを想定して力をかけると、圧力は断面にある数箇所の小さな点にかかるのです。これらを私たちはホットスポットと呼びますが、ホットスポットは小さいほど強い圧力がかかります。一方で今回は、マイナス0・3℃と温かい氷で割れ方を調査しました。温かい氷の断面はもっとずっとスムーズで、断面に力をかけるとより大きい面積に比較的弱い圧力がかかるのです」

これが何を示唆するのか。それはトュックリさんも実は、まだよくわかっていない。

「力は、圧力×面積です。温度が変わると、圧力も面積も変わることが今回わかり、氷が温まると圧力は減少しますが面積は大きくなります。そのため総合的に船体にかかる力が増すのか減少するのかは、わかりません。こうした現象が起こる理由を突き止めるためにも、さらなる研究が必要です」

第二次北極ブーム

幸か不幸か、地球温暖化が北極圏にもたらす謎があまりにも多いため、北極圏に関する研究は未だかつてなく盛り上がっているとトュックリさんは話す。

「これは第二次北極ブーム、ですね。私は自分の研究についてとても興味を持っているので、身の回りの研究やアクティビティが盛り上がっていたり、たくさんの学生が入学し卒業していくことはとても嬉しいことです。ですが、そのきっかけとなる地球温暖化が起こっていることは残念極まりないことで、地球の一市民としては戸惑いを感じます」とトュックリさん。

新しいブームの中で盛り上がっている研究のうちの一つに、洋上風力発電所の研究がある。沖合の風力タービンに氷が与える力や圧力は理解されておらず、現状、洋上風力発電所のほとんどは、氷との接触があまり見込まれないような場所に建てられている。

「今後風力発電をもっと活用するならば、海をもっと活用しなければなりません。バルト海では、水深が10メートル以上あると氷は動き始めますが、氷が動くということは、洋上風力発電所にぶつかるわけです。風力発電機は細長い形をしているので、氷がぶつかると振動し始めます。この振動が及ぼす影響が、氷まみれの海で風力発電を始める上での懸念材料となっています」とトュックリさんは話す。

振動の性質について詳しく調べるためにもまた、アイスタンクを使った実験が行われた。

30分の1の小型模型を使った実験だ。タービンの大きさだけではなく、氷のあらゆる要素も縮小する必要があるのだ。小型模型を使った実験はタービンの他にも船でも行われており、氷も3センチや6センチ程度まで薄くしている。厚さだけではなく、割れ方も再現するために強度も弱くする必要があり、こうした弱くて薄い氷は、硬い氷というよりシャーベットのような質感になる。

この実験でわかったのは、氷がタービンに起こす振動は、これまで灯台や石油採掘のインフラで見られた振動とは全く別物だということと、氷から受ける荷重が飛行機のエンジン16基分の推力に相当するということだ。「風力発電機は何十年も安全に立ち続けないといけないものなので、こうした振動によって風力発電機にどんなリスクがあるかや、どんな補強が必要かなどについて今アイスタンクで別のチームが調べているところです」とトユックリさんは言う。

また、氷と波の関係性の研究も、新たに必要性が認知されてきたところだ。古き良き時代の海は、波があって氷があまりない開放水面と、スキーをしたりスノーモービルを走らせたりできるほどカチコチに固まった多年氷のエリアがあり、その境界にマージナル・アイス・ゾーン（MIZ）というとても狭い区域があった。MIZには波も氷もあり、波が氷の姿や性質に影響を与え、氷もまた波に影響を与えるような場所だ。これまでは狭いが故に工学的観点からは重要視されていなかったものの、地球温暖化とともにＭＩＺは拡大してきている。

「私たちは今のところ、氷と波の組み合わせについて工学的観点からはあまり理解できていません。氷と波が組み合わさると、船にどんな氷雪荷重がかかって、波で浮き沈みする氷は船にどんなリスクを与えるのか。そうしたことがほとんどわかっていない状況です」

とトュックリさんは言う。

氷と波の相互作用を調べるために、アールト大学のアイスタンクには、より高度な造波装置を導入しているところだ。そうすることで、いろんな種類の波と氷の実験が可能になる。

地球は極地に住む人間に厳しいが、人間は地球に優しくしないと、もっと訳のわからない未来が待ち受けることになるだろう。大事が起こる前に、ニューノーマル（新常態）の法則を解明したいところだ。

砂漠を肥やすことの意義
——砂漠農業（サウジアラビア）

サウジアラビアは、農業をするにはとにかくサイアクの場所だった。極端に暑く、水が不足しているだけではない。土壌の質も非常に悪いのだ。あまりにも植物が育たず、土壌の生産性を左右する有機物の層がほぼ形成されない。そして珍しく雨が降ったとしても、水を待ち構えていた土壌中の微生物がすぐ有機物を分解してしまう。

近代以前、農作物のかわりに食生活を支えていたのはラクダや羊やヤギといった家畜動物だった。彼らから乳を取ったり、肉を食べたりすることがされてきたわけだ。だがひづめを持った彼らが何千年もサウジアラビアの土壌の上を駆け回り、草をむしり続けたおかげで植生はじわじわと削られ、土壌は一層農業に不向きになっていったわけだ。

そんなサイアクな農地に奇跡が起こったのは1970年頃のこと。大量の地下水が発見された後、国は地主たちに好きなだけ地下水を汲み上げることを許可した。使い放題の水とカネの力で、不毛な砂漠の土地は一時期、世界有数の小麦生産地と化した。現在も空からサウジアラビアを見ると、赤茶色の砂漠の風景の中にナゾの緑の丸がポッポッとあるのがわかる。火星の実験基地でも見ているかのような光景だ。

サウジアラビアは降水量の少なさに加え、川や湖が皆無なので、農業は地下水からの灌漑に頼りきりだ。だがサウジアラビアの地下水は氷河期の頃に水が溜まったもので、雨で貯蔵量が補填される他の地域の地下水の層と違い、一度使ってしまったらなくなる一方だ。そして地球温暖化によって、すでに厳しい気候がますます乱れ続ける。サイアクな農地が未来に備えるために、サウジアラビアのアブドラ王立科学技術大学（KAUST）をはじめとする研究機関では、研究者が様々な切り口で新時代の砂漠農業を切り開こうとしている。

不毛地帯を肥やすすべ

砂漠でより多くの収穫量を、より少ない資源を使って得るにはいくつかの方法がある。まずは砂漠で育つ数少ない植物が厳しい環境を乗り越えている方法を解明し、品種改良を行って耐性を強めたり、収穫高を上げたりする方法だ。

地下水が発見されるまでサウジアラビアではほとんど農作物の栽培は行われてこなかったが、例外的にナツメヤシや、オクラ、胡麻、ヒヨコ豆は砂漠でもよく育った。特にナツメヤシの果実のデーツは特産物としても有名で、お土産ショップでよく見られる。

植物が砂漠でよく育つには様々な条件があるが、中でも特に重要なのが熱耐性で、ナツメヤシはこれが非常に得意だ。ナツメヤシはオアシスで育ち、大量に水を吸い上げ蒸散させることで体を冷やしている。だが育つのは遅く、「ナツメヤシの種を植えた人は、その木の果実を食べることはない」と言われるほど。KAUSTでは、遺伝子の改変をしたり、代謝物質や微生物を使って成長スピードを早めたりする試みが行われている。

水の有効活用も重要な課題だ。水を土から蒸発させないために超防水加工を施した砂の開発も進む。砂漠に山ほどある砂を原油から精製されるパラフィンワックスでコーティングし、5―10ミリメートル程度の砂の層を湿った土の上に被せると、蒸発が防げるといったものだ。日本の畑でもよく見る、土に被せる黒いビニールのマルチシートと同じ役割を果たす。また、衛星とドローンと人工知能を組み合わせて、未だに使い放題の地下水の消費の詳細を理解する研究も進んでいる。ドローンが、畑の作物の葉緑素の量や水分の過不足を測定し、衛星から毎日得られる画像データと照らし合わせることで、畑ごとに使われている水の量を推測できるのだ。この取り組みによって、サウジアラビアの農業で使われている地下水が、海水の淡水化で得られている水の10倍以上であることが判明した。農業に使われる水に課金をし、貴重な水を保全することに役立てることを目指す。

今ある水の有効活用もだが、KAUST砂漠農業センターの副所長であるマーク・テスター教授たちは、「質の悪い」水も農業に使えるようにと、長年研究を進めてきた。ここで言う質の悪さとは、塩分を含んでいることを言う。農業には淡水が使われるが、世界の淡水の70%が灌漑農業によって大量消費されている。一方で、地球の水の96%を占めるのが海水や、沿海地域の塩水だ。塩水を「解禁」すれば、淡水が少ない砂漠地帯でも農業が行える。もっと言えば、増え続ける人口を養うならば今より多量の水が必要になるが、海水が使えるようになれば淡水の枯渇にもブレーキがかかるのである。淡水化した海水を農業に使うこともできなくはないが、農業で使う大量の水を淡水化するにはコストがかかりすぎる。そして海水をそっくりそのまま使う手もあるが、そんな強い塩分に耐えられる農作物を開発できるまで何年かかるかわからない。少しでも早く海水の活用を実現するために、農業用の海水を途中まで淡水化し、少し塩分の混じっている水でも問題なく作物が育つというところまで持っていきたい。

植物の塩分控えめ生活

人間と同じく、植物は生きていくために少しの塩分は必要だが、過剰摂取してしまうと害が及ぶ。塩分は植物の根が水分やミネラルを吸収するのを阻害したり、養分を作り出すプロセスを邪魔したりしてしまうのだ。塩分に強い植物は、最初から根から塩分を吸い上げない仕組みや、細胞の特定の場所に塩分を閉じ込める仕組みや、葉の表面に塩分を排出する仕組みが備わっている。

テスターさんは、塩分に強い植物を見つけては、分子レベルで塩分耐性のメカニズムを解明し、そのメカニズムと関連する遺伝子を探し当てることで、農作物の塩分耐性向上に貢献してきた。テスターさんは今栽培されている農作物の塩分耐性を高めるため、塩分耐性が強い植物の遺伝子を参考に小麦や大麦やトマトの改良に応用してきた。

塩分耐性が高いが農業でまだ使われていない植物を栽培品種化するのも、海水を使った農業を実現する方法の一つだ。例えば、南米で農家が手作業で育てるキヌア。塩分が高い土の中でものびのびと育つが、大規模農業で育てるには背が高すぎてのびのびしすぎている。テスターさんは2017年にキヌアのゲノムを解読し、大規模農場でも栽培できるようにコンパクトなサイズのキヌアの開発を目指す。また、ＫＡＵＳＴの別の研究室では、塩分耐性が強いイネ科植物を見つけ、栽培品種化を試みている。今のままでは、一本一本の植物から取れる米粒の量が少なすぎるのだ。

10億人を支えるポテンシャル

ナイーブな質問をテスターさんにぶつけてみた。条件があまりに悪い砂漠で農業する意義はあるのだろうか。

というのも、彼はこう言ったのだ。見事な熱耐性を持つナツメヤシは中東で重要な食糧源として育てられてきたが、たった一つのデーツの実を生《な》らせるために、50リットルもの水を使うとのこと。水の大量消費は他の作物でも目立つ。トマトの場合でも、乾燥地帯で栽培されたものは1キロあたり３５０リットルの水を使うのだ。トマト1キロとはすなわち、Ｌサイズのトマト4個分程。スーパーで普通に並んでいる分には実感が湧かないが、唖然としてしまうような数値だ。それでも、サウジアラビアをはじめ、同じくらい乾燥しているイスラエルやパレスチナの一部地域、そしてオーストラリアやアメリカの砂漠地帯でも農業が行われている。

これに対してテスターさんは、全ての農作物を砂漠で作るのではなく、砂漠で作る価値のあるものに注力していくのであれば、その意義は明確だと答えた。

「忘れてはならないのが、世界の砂漠地帯には10億人もの人が住んでいるということです。欧米諸国や、日本のような先進国に住んでいる人にとってはあまり実感が湧かないかもしれませんが、これだけ多くの人が砂漠地帯に住んでいるということは、砂漠でももっと生鮮青果物を育てられるようになることに非常に意義があるのです」

私たちが主に消費する植物由来の食物は、小麦や米やイモに含まれるデンプン、キャノーラやオリーブやひまわりから取れる油分、そして果物や野菜といった生鮮青果物の3種類だ。デンプンのもととなる小麦は長持ちするため、コモディティとして扱い、船に載せて世界中へ運べる。1隻の船には、たくさんの人を長期間養える分の小麦を載せることができ、比較的少ないCO_2排出量で、比較的安価に、大量の小麦を長距離・長期間にわたって運ぶことができる。油分も同様、比較的長持ちする。

一方で生鮮青果物はその真逆をいく。簡単に生鮮青果物を栽培できる地域から、何か月もかけて船で輸送するわけにはいかない。そのため飛行機で運ぶわけだが、すると途端にCO_2排出量もコストも増加する。おまけに冷蔵しなければいけないことも考慮すると、生鮮青果物の輸送はコストが非常に高く、砂漠で生鮮青果物を栽培することのコストが比較的高かったとしても、砂漠で育てるほうがコストもCO_2排出量も削減できるとのこと。

現段階では、サウジアラビアは食物の9割程度を輸入している。特に自国での生鮮青果物栽培は少ないが、自国に輸入するために他国の農地を買って生鮮青果物の供給を一部確保している。テスターさんは、より現地で生産する価値の高い生鮮青果物に注力し、海外からの輸入のコストが比較的低い小麦の栽培は縮小しつつ輸入元を分散化すべきだと話す。

「サウジアラビアの政府も限られた淡水資源がいかに貴重か認識しています。ですが、政治的な現実や様々な業界からのプレッシャーともバランスを取らないといけないというのが彼らの置かれた状況です。そのため未だに小麦生産にも力を入れていますが、サウジアラビアは今、国全体が大きく変化している最中で良い方向に向かっているとは思います」

もう砂漠農業は終わり？

塩分耐性を高めることで砂漠農業に貢献してきたテスターさんだが、今後は砂漠で農業を行うというよりも、条件がコントロールできるグリーンハウスで生鮮青果物を栽培することにポテンシャルを感じている。「野外の環境はもう、過酷になりすぎています。そし

レッド・シーのグリーンハウス（写真提供：Red Sea）

て気候変動が加速する中、環境は農業にとって不利になるばかりです。なので農業を行う環境を変えようと思い、『砂漠農業』という名で研究を行っているものの、実は『砂漠だからこそ』という発想からは遠ざかっています」とテスターさんは言う。

テスターさんはKAUSTの他の研究者と連携し、超ハイテクなグリーンハウスを考案した。電力を太陽光発電で賄い、塩水でグリーンハウスの冷却と作物の水を賄うというシステムだ。グリーンハウスの中で育てる作物も、テスターさんの研究室で最適化が進む。テスターさんはKAUSTの研究者数名とともに、塩水を使ったグリーンハウス農業を確立するためにレッド・シーというベンチャー企業を設立した。2

018年の設立以来急速な成長を続け、中東地域の国々やアメリカの企業から多額の資金を集めることに成功している。このグリーンハウスで栽培した作物は、1キロあたり300リットルの水が削減できていると公表している。

「ハイテクな農業は、サウジアラビアにとても合っていると思うんです。サウジアラビアは世界でも珍しいくらいの資金と資源がありますから。十分な資本的支出があれば、国全体を養える数のグリーンハウスを建てることができるはずです。

その上、新しい業界も育てることができます。グリーンハウスでの農業を運営する人やメンテナンスを行う人の雇用につながるのと、グリーンハウスを覆うプラスチックのカバーを作る企業も必要です。プラスチックは石油から作られますし、サウジアラビアこそ世界で一番石油を持っている国なのですから、大きなプラスチックのグリーンハウスを生産するポテンシャルはどこの国よりもあるはずです。オランダの西部にれっきとした園芸業界があるように、サウジアラビアではグリーンハウスを使った農業の業界を確立するポテンシャルがあります」とテスターさんは語る。

レッド・シーのグリーンハウスではきゅうりやピーマンをはじめ数種類の作物が栽培されているが、今主力となっているのはトマトだ。世界中で需要があるのと、元から熱耐性が強く、塩分耐性も比較的強く、作物にとっては理想的でない環境でも一定の収穫量を望むことができ、投資に対する利益率が高いのだ。さらにトマトは、接ぎ木をすることができる。テスターさんたちは遺伝子の研究を行い、塩分を含んだ水を与えられてもしっかりした根が育つトマトと、味や収穫高に優れたトマトを組み合わせて栽培を行っている。すでにスーパーへの出荷が始まっており、消費者からは甘酸っぱさが評価されていると言う。「トマトは植物にストレスがかかると糖分を蓄積するので、塩水を使ったほうが甘くなるのです」とテスターさんは言う。今のところ皮が少し厚めなのは難点だが、輸送をする際に傷がつきにくくなるため強みにもなり得る。

気候変動は乾燥地帯だけではなく、世界のあらゆる農地に打撃を与えている。それでも増え続ける食糧の需要に応えるために、環境を制御できる屋内の農業は世界中で必須になってくるとテスターさんは信じる。「サウジアラビアでは暑さや土壌の悪さを乗り越える上で有用なグリーンハウスですが、他にもたくさんメリットがあります。病気の伝染や害虫の繁殖も防げたり、菌類や微生物や動物、そして強風などによって農作物が台無しになることも防げます」とテスターさんは語った。いつの日か、砂漠発の農業形態が、他の地域でも主流になっていくのかもしれない。

weird research

Part3

地域それぞれ、寄り添う研究

合法ならば、大麻は大学で教えて当然
——大麻の化学分析（アメリカ・ミシガン州）

北アメリカの学生街は、なんだかスカンク臭い。

学生たちがスカンクを飼っているわけではない。臭さの正体は、大麻だ。

日本は世界でも大麻に対して厳しい取り締まりが行われているほうで、大麻の栽培、所持、譲受・譲渡が原則禁止されている。医療目的限定で大麻使用を認めている国もあるが、日本では大麻から製造された医薬品の使用は誰であっても認められていない。

一方、アメリカでは大麻合法化のブームが起きている。まだ国単位ではいかなる使用も認められていないが、アメリカは州ごとに法律が制定されており、年々大麻の使用を許容する州が増えつつあるのだ。１９９６年にカリフォルニア州が医療目的に大麻の使用を認めたことを皮切りに、徐々に過半数の州が医療目的での使用を認めるようになった。そして２０１２年にコロラド州が娯楽目的での使用を認めるようになってから、以後10年の間に4割近くの州が娯楽目的での使用を認めるようになった。要するに、国がダメだと言っても、州は良いと言っている矛盾した状態が続いている。大麻の使用を認めるべきか否かは大きな政治的議論の的であり、アメリカ社会の分断がよくわかる一例でもある。

そんな時代の流れを受けて、大麻の科学やビジネスを教える大学のプログラムが全米のあちこちで設立され始めている。コースを終えたという証の修了書を発行するだけのプログラムもあれば、学士号や修士号をとれるプログラムもある。その中でも、初めて大麻について重点的に学ぶ専攻を設立したのが北ミシガン州立大学だ。ミシガン州では2008年に大麻の医療向け使用が認められ、2018年に娯楽向け使用が認められた。このプログラムでは、今急速に成長する大麻業界の人材を育成するべく、2017年から授業を行っている。教育の一環として、大麻の植物も育てている。

この専攻の発案者は、北ミシガン州立大学で化学を教えるブランドン・キャンフィールド博士。「今でも、この学部を設立できたことに驚いていています。設立してから数年が経ちますが、ラボの前を通り過ぎるたびに大麻の匂いがプンプン漂ってきて、毎回実感しては驚いていいます。大麻の花が咲いている時なんて、建物全体が大麻の匂いで満ちているくらいです」と語る。アメリカ各地での法改正に伴い、今まさに大麻の研究や教育が普及しようとしている。

案の定、プロがいない

北ミシガン州立大学の学士プログラムは、「薬用植物化学専攻」という名のもとで行われている。キャンフィールドさんが専攻を設立したのは、化学の学会に出席した際、化学の専門技術を習得した技師が大麻業界で足りていないことを知ったからだった。

大麻の娯楽向け使用が合法の州では、大麻商品に含まれる有効成分の量や有毒物質の有無などを検査するような規制が何かしら制定されている。だが、今のところアメリカの各州は、「まだどうすれば良いのかよくわかりません」と言わんばかりに規制をコロコロと変えている。キャンフィールドさんの言葉を借りると、大麻合法化が時代の流れとは言え、あまりに急速に流れが変わったため、各州があたふたと独自に試行錯誤を重ねているような状況だ。

そして大麻業界が様々な州であまりに急速に成長してきたため、インフラがまだ整っていないとキャンフィールドさんは話す。特に、娯楽向けの商品の成分検査の場合は顕著だ。「大麻の育て方や、食品に入れるための加工方法などは注目を集めやすいですが、検査手法は大切なのにないがしろにされがちで、行き当たりばったりなのです。専門教育を受けず、検査機器の使い方をよく理解していない人が、なんとか機器を使いながら検査を行っているのです」

高等教育機関で化学物質の分析方法を学んできた人であれば、誰でも大麻の検査ができるはず。大麻に特化した専攻を作り、他の化学分野と同じように技術面をしっかり教えていけば、大麻業界で活躍する化学の専門家が育成できるとされているのだ。

化学にどっぷりの学生生活

大麻の専攻といっても、実質勉強しているのはゴリゴリの化学。大麻に限らず、植物の中の化学成分の種類や含有量、植物から目的物質を取り出す方法、目的物質に応じた最適な分析方法、そして目的物質が植物の体外に出た後にどのように変化するかなどの専門知識や技術を身につける。ハードな教育課程なので、不純な動機で入学してきた学生は予想外に痛い目に遭う。「化学の専攻なので、もちろん数学の講義も必須で、途中で脱落していく学生もたくさんいます」とキャンフィールドさんは言う。

専攻を設立した当初、ミシガン州では医療目的の使用しか認められておらず、大学内で大麻を育てることができなかった。そのため大麻の検査で使う手法を他の植物を使って教えていたが、2018年に公立大学でヘンプ（有効成分のテトラヒドロカンナビノールが0・3％以下の大麻）の栽培が認められるようになってからは、講義や実習のためにヘンプを栽培するようになった。

ヘンプを使って学生が分析するのは、まずテトラヒドロカンナビノール（THC）の含有量だ。THCが、いわゆる「ハイ」になった状態を作り出す物質だ。娯楽用途の大麻では、消費者に有効成分がどの程度含まれているかを示すために計測する必要がある。THCを含め、大麻にはカンナビノイドと呼ばれる成分が100種類近く含まれているため、それぞれ測る方法を学ぶ。また、どの農作物でも検査される重金属の含有量など、有毒な成分が入っていないことを検査する方法も学ぶ。

中でも今需要が伸びているのが、テルペン類と呼ばれる香り物質の検査だ。テルペン類はほぼ全部の植物に含まれるものの、セージやタイムなどのハーブや、柑橘類の果実で特に多く見られる。大麻にも多量に含まれ、特徴的なスカンク臭のもととなる。テルペン類の検査を義務化しているのは2022年現在、ネバダ州のみだが、テルペン類がカンナビノイドと協働することで多種多様な効果が現れると考える消費者も多い。というのも、大麻には何種類かの品種があるが、ＴＨＣ含有量が同じ品種同士を比較しても、消費した時に「エネルギーや自己肯定感の高揚」「ソファーから立ち上がれないような落ち着き」など全く違う使用感が生まれる。「純粋なＴＨＣだけでは、品種特有の使用感を得られなかった、とほとんどの消費者が言うのです。そのためテルペン類の効果は今、ＳＮＳや大麻関連のウェブサイトで話題になっており、消費者も学生たちも非常に注目しています」とキャンフィールドさんは語った。

シャバに出てきた大麻研究

大麻に関する法律が変わってきたことは、研究の進展にも大きな意味合いを持つ。「大麻が多くの州で違法だった時も、アンダーグラウンドで研究が行われていたんです。例えば、大麻の遺伝的特徴を調べると、60年代に専門知識を持った人が行ったと思われる分析結果が出てきます。これまで公式に発表することができなかった研究結果も著名な学術誌で発表できるようになるでしょう」とキャンフィールドさんは考える。「大麻に対するタブーが薄れたことで、大麻研究も闇の中から出てきて、ようやく主流になりつつあります」

研究がひっそりと行われてきたことで、間違った知識が広がることもあった。例えば、大麻で行う脱炭酸というプロセス。生の大麻の葉の中に入っているカンナビノイドは、熱を与えて脱炭酸をしないと人間の体に作用を与えない。タバコのように火をつけて吸うのであれば活性化するが、食べ物に入れて消費するのであれば何かしらの方法で熱する必要がある。「脱炭酸をする際の最適温度をネットで調べようとすると、ありとあらゆる情報共有の場で1991年に発表された論文のグラフが引用されているのです。このグラフは元々、ある特定の状況の中である特定の品種の大麻の最適温度を調べたものなのに、どの状況にも当てはまるかのように扱われています」とキャンフィールドさん。要は、30年間伝言ゲームを続けてきたかのように、ニュアンスが伝わらないまま事実が一人歩きしていったのだ。そこでキャンフィールドさんは学生とともに、様々な条件で脱炭酸の最適温度を調べている。

他にも、大麻の中に含まれる新しい物質が次々と見つかるなどの進展がある。1968年から、連邦政府は研究用の大麻栽培をミシシッピ大学で行うことしか認めておらず、大麻を研究に使う場合はミシシッピ大学から入手する必要があった。それでも、ミシシッピ大学で育てられていた品種はほんの数種類ほど。一方で、大麻の販売店に並ぶのは30種以

ミシシッピ大学の大麻栽培室。以前は研究で大麻を使う際、ここで育った大麻を取り寄せる必要があった（写真提供：Don Stanford, University of Mississippi）

上の品種から得られた製品だ。「大麻は、これまで研究されてきた品種だけではなく、もっとずっと多様なのです。実際に店頭に出回っている他の品種に対する研究も始まっていることによって、これまで注目されてこなかった物質についても研究が進みつつあるのです。大麻に特化した学術誌も出てきていますし、化学の学会でも大麻の分科会の活動が盛んになっています。大麻は1000年以上人間に使われてきましたが、ようやく基礎的な化学の部分が明らかになってきているところです」とキャンフィールドさんは語った。

逆に、ガツガツ研究を進めていかないと危ないという側面もある。様々な品種に含まれる物質の研究が進む前に、とりあえず検査基準を満たしたというだけの大麻商品が店頭に並んだり、ネットで買えたりするようになっているのだ。大麻の中には400種類以上の化学物質が含まれているので、大麻製品が及ぼす影響は、よく理解されているとは到底言えない。

今後どうなる？　高等教育と大麻

大麻研究に対するタブーは薄れてきても、研究資金を工面する上では課題が立ちはだかる。連邦政府から出る大きな研究費を使った研究は、まだまだ行いにくいのだ。

例えば、ミシガン州など娯楽用の大麻使用が合法の州ではTHC含有量が高い大麻の研究も行うこと自体は可能だ。だが、アメリカ国立科学財団やアメリカ国立衛生研究所など連邦政府から出る研究費をもらうのであれば、ヘロインやコカインなど、乱用につながるポテンシャルが高い薬物類を扱うための免許を取得した上で、ミシシッピ大学から研究用の大麻を調達する必要があり、ロジスティクスが煩雑になる。

キャンフィールドさんは、研究費に関する思い込みも足かせになっていると感じている。「多くの人が、大麻の研究に連邦政府の研究費を使っていなかったとしても、連邦政府が『違法』と考える大麻の研究を行っているだけで、同じ大学の他の研究者がもらっている連邦政府の研究費が危険にさらされると信じているのです。そのため、大麻研究を進めることを躊躇したり、良く思わない人もいて、前に進みません。これが今、大麻研究にとって一番大きなハードルだと考えます」

現在、大麻は連邦政府の区分で「スケジュール1」という、医療価値がなく乱用される可能性が高い薬物のカテゴリに分類されているが、乱用される可能性が高いが医療価値もあるとされる「スケジュール2」にカテゴリが変わるだけでも、研究がしやすくなるとキャンフィールドさんは言う。

それでも、教育のためならば、大学が積極的に大麻のプログラムを開講する兆候は見られる。日本の大学と同様、毎年のように学生集めに苦しむアメリカの大学は、学生の興味をそそる学部や就職が手堅い学部を設立し、学生集めに勤しんでいるのだ。実際、大麻に関連する学部の場合、卒業後は恩師たちよりも高い給料がもらえる会社に就職できることもある。他の大学でも類似したプログラムや、より生物学面を重視したプログラム、ビジネス面を重視したプログラムなども開講され始めている。

北ミシガン州立大学で薬用植物化学専攻が設立された当初は多くのメディアに取り上げられ、入学希望者の数が爆発的に増えた。毎年化学学部の学生数は１２０−１４０人程度だったが、最初の年には400人以上に膨れ上がった。当初は、「大麻が育てられる、わーい」と軽い気持ちで入学してきた学生も多数おり、講義が始まってからショックを受ける学生もいた。以後、キャンパスツアーを行う際や問い合わせがあった際は、化学の専門知識や技術の習得が目的になる難しい専攻であることを強調するようになり、覚悟を決めて入学してくる学生が多くなった。

設立にあたり大学当局がとても乗り気で驚いたとキャンフィールドさんは振り返る。薬用植物化学専攻設立のアイディアを提案してから、トントン拍子で承認が下りたのだ。

「大麻業界でのインターンシップは認めないなど、一部保守的な決断があり残念に感じましたし、冗談のような専攻だと一部の人から揶揄されることもありましたが、そのような批判を乗り越えて、れっきとした専攻としての立ち位置を確立することができました。今でもこの専攻を軽蔑する人もいますが、それは大学内部というよりはSNSやネットのフォーラムなど外部からくるものです」

学生のモチベーションが高いこともあり、キャンフィールドさんは大麻の業界や研究の行く末を楽観的に捉えている。

「化学専攻の学生がお互いに講義の後に残って業界ニュースについて話し合ったり、面白い論文を見つけては共有したりするなんて想像がつかないですが、薬用植物化学専攻の学生はそうしているのです。勉強していることに対してこれだけ情熱を持っているのは、本当にクールなことだと思います」

こんな学生たちが、どのようにアメリカの大麻業界を牽引していくのか。今後数十年の間で見えてくるのかもしれない。

「古き良き」が問われる時代

——時計学校と研究開発（スイス）

高級腕時計の生産国として名高い、スイス。ロレックスやオメガなど、時計愛好家でなくとも知っている有名ブランドをはじめ、多くの高級ブランドはスイスを拠点としており、1000スイスフラン（14万円相当）を超える時計の95％はスイスの時計ブランドによって製造されている。

「時計作りの名所スイス」のブランドイメージを守る上で不可欠なのが、高度な技術を持つ職人を輩出する時計学校の存在だ。こうした学校の学生が、何百年も続く技法を継承しつつ、先端技術に触れながら新時代の時計を開発していくのである。

時計の谷

スイス時計の9割は、北部に位置するジュラ山脈の麓で製造されている。この地方は「ウォッチバレイ（時計の谷）」と呼ばれ、オーデマ・ピゲ、ジャガールクト、ブレゲ、ブランパンといった名門ブランドが工房を構える。天才時計師と呼ばれるフィリップ・デュフォー氏が工房を構えるのもこの地方だ。

スイスで時計作りが始まったのは17世紀頃。とある時計師がジュラ渓谷の村ル・ロックルの農民に対し、長い冬の間に副業で時計作りをすることを啓蒙したことがきっかけで時計の大産地と化した。19世紀中頃には時計産業は街にとって不可欠の存在となり、時計製造にとって都合が良くなるように街全体をリメイクしたのだ。時計のために作ったこの街並みは、隣街のラ・ショー゠ド゠フォンの中心市街とともに世界遺産に登録されている。

スイスの時計業界は、時計作りが始まった時から受け継がれる機械式時計（ゼンマイで駆動）で名を馳せた。1960年代にピークを迎えるわけだが、70年代に比較的安価の日本産クオーツ時計（電池で水晶を振動させて駆動）が出回るようになってから、ピンチに陥った。80年代には時計産業に携わる人も会社も1／3にまで減ってしまったが、スイスに本社を置くスウォッチ社が大量生産モデルの時計を作り始めたのと、新興国の消費者が憧れのスイス時計を求めるようになったことで、ゆっくりリバイバルが進んでいった。今、スイスの時計業界が生産する腕時計の3／4はをクオーツ時計だが、残り1／4の機械式時計は、売上の75％ほどを占める。

難関の時計学校

時計産業の中心がジュラ地方にあるのであれば、時計学校が集中するのもまた、ジュラ地方だ。

スイスで時計職人になるには、主に3通りの方法がある。一つは、時計職業訓練校に通うこと。日本に置き換えると、高専に近いかもしれない。15歳から応募でき、競争率も高い。入試は、手先の器用さを試す実技だけでなく、論理的な思考能力の指標となる数学や、フランス語の能力も試される。晴れて入学できれば、3－4年でみっちり技術を身につけ、卒業時に「連邦技能資格」を取得できる。時計職業訓練校は全国で6校あり、いずれもジュラ地方に点在している。他には時計メーカーが自社の教育センターで人材を育成したり、私立の教育機関が社会人向けにトレーニングを行ったりしている。

時計職人になるのであれば、全パーツを自分で製造し、組み立て、修理する方法をマスターしなければならない。名門学校と言われる、L' École Technique de la Vallée de Joux

（ETVJジュー渓谷工業学校）での一般カリキュラムは、こんなところだ。1年目は、やすりで仕上げをするファイリングだったり、穴を開ける方法だったり、切削《せっさく》機械の扱い方など、まずものづくりの基礎を身につけつつ、時計の動き方について学ぶ。時計の小さな金属のパーツも作る。生産の現場では生産が機械化されているパーツでも、基礎を徹底的に理解するために手作業で金属の塊から削り出して作っていく。シンプルな機械式時計でも130個程度のパーツがあるので、仕組みや作り方を覚えるのは簡単なことではない。

時計だけでなく、それに使う工具や備品の作り方を学ぶのも大切なことだ。例えば時計の蓋を組み立てるには特殊なドライバーが必要だが、そのハンドル部分を作るために細かいギザギザを均一に彫り込む、といったノウハウを習得する。また、時計用の木箱がきれいにカチッと閉じるよう、金具を微調整するのも練習のうちだ。

2年目からはがっつり時計に触れていく。機械式時計とクオーツ時計両方の仕組みを学び、内部の組み立てや、時計が動く速さを決めるパーツの調整の仕方、ケースのはめ方、外部のパーツの組み立て、そして修復作業の仕方を習得する。ここでもまた、手作業で歯車に特殊な刻みを入れる方法や、機械式時計の心臓と呼ばれる「テンプ」の作り方を覚えたりする。

3－4年次は製造工程や品質管理やアフターサービスについて学びつつ、スイス中の時計学校の学生が集まって競うコンテストに応募したりと腕試しをする。例えばパテックフィリップ社が主催するコンテストでは、パテックフィリップの中でも有名な内部機構の「キャリバー215」を組み立て、指定されたように時計が動く速さの緩急を調節することが求められる。

卒業生は時計の組み立てやリペアに携わり、将来的には自分の工房を持ち時計を設計することを目指す人もいる。一般課程を卒業してから、カレンダーや世界時計など時間表示以外の機能をもつ複雑時計を作ったり、扱いにくいアンティーク品の修理ができるようになるために、より高度な訓練を行う科に再入学する人もいる。腕時計のパーツは、複雑なものでは数百個、最も複雑と言われるものでは2800個ほどあるので、改めて技術を身につけなければいけないのも納得だ。

ものづくり精神は、守れるか

時計学校で手作業の方法から叩き込まれるとはいえ、スイスの時計業界では、ここ20－30年で製造工程の機械化が進んだ。ならば時計技師は不要になってきているのではないのだろうか、と思いきや、むしろそれは逆のようだ。

そもそも、スイスの時計業界で工業化が進んだのはアジア、特に中国と香港を中心として爆発的に伸びた需要に対応するためだ。今では、スイス産の時計の2つに1つは中国の消費者が購入している状況。となると世の中に出回る時計の数が増えるので、作り手だけではなく、リペアセンターにも注文が相次ぎ、時計技師はこれまで以上に必要とされている。そんなトレンドを受け、近年では時計の短期コースが提供されるようになってきた。短期コースは、3－4年みっちり学校へ通い「連邦技能資格」を取得するのと対照的に、2年で連邦基礎訓練修了証明書を取得することを目的している。時計「職人」というより、時計の「製造労働者」になるのだ。すぐに使える労働力を求める時計メーカーからしてみれば、ありがたいことだ。

だが時計職人やメーカー社員や学校で研究をしてきた専門家は、卒業生たちがせっかく得た技術を発揮する場が減ってきていると考察する。

「高級機械式時計のブームのおかげで、この職業の人気は、ここ数年で特に若い人たちの間で目に見えて高まった。手作業の価値を強調する大手時計メーカーや職業訓練学校によるイメージ戦略も功を奏した。だが、そうして時計職人になった若者たちは、今、理想と現実とのギャップに戸惑っている。シリコンのような新素材を使った部品は、故障をすると専門家にも修理不可能で、交換するしか手立てがない」（エルヴェ・ムンツ氏、swissinfo.chのインタビュー）

かつて重宝された技術の中に、トゥールビヨンというものがある。これはヒゲゼンマイの姿勢を常に変えることで重力の影響を分散し、時計が縦の姿勢になっても精度を保つ仕組みの非常に複雑な技術だ。30年ほど前までは、ごく少数の職人しか作ることができない究極の技だったが、技術開発のおかげで機械で生産できるようになった。高度な職人技まで機械でできてしまうと、時計学校の卒業生からしてみたら力の持ちぐされになってしまう。手作業で腕時計を扱える技術があっても、結局、機械が大部分を行ったり、修理も簡易的な作業に限られてしまうのだ。

それでもスイスの時計メーカーは、マーケティング活動の中で高度なものづくりのイメージが売上につながってきたので、工業的に量産されているイメージを外部に積極的に伝えることはない。力を発揮できない現実に幻滅した卒業生が、時計と同じような精密さが求められる医療機器業界に転職することも珍しくない。

伝統工芸に、研究は必要か

高度な機械が一般化した今、時計業界で求められるイノベーションとは不備を減らすことよりも、新しい可能性を開くことになってきている。メーカーは様々な分野から専門家を雇い、研究開発に力を入れるようになっているのだ。一例では、リシュモンがヌーシャテル市で研究施設を開設し、スイス連邦工科大学ローザンヌ校と共同研究を進めている。こうした施設で研究されるのは、新しい材質や、ロボティクスを用いた新たな製造工程や、時計の新しいメカニズム。全く新しい仕組みや材料を使って、これまでにないものを作ろう、ということだ。イノベーションはもはや、時計職人のアイディア主導というより、科学のラボの世界のものになってきている。

特に、各メーカーが注力してきたのは新素材の開発だ。2000年代の初頭には時計ブランドが研究コンソーシアムを組んで、こぞってヒゲゼンマイにシリコンを活用する研究が進んだ。ヒゲゼンマイは時計の振り子に相当するパーツで、細長い金具が蚊取り線香状に巻かれた形をしている。これが、時計が動く速さをつかさどるわけだが、ヒゲゼンマイは1年の間に5億回も振動するので頑丈でないといけない。シリコンは、従来使われてい

機械式時計のヒゲゼンマイ。昔はこれも手作りだった（Photo by He-Arc）

たスチール素材よりも強度があって軽く、非磁性で、腐食に強く、衝撃吸収が良く、潤滑剤もいらないという優れた素材だ。シリコンは扱いにくい素材なので、開発には手間がかかったようだが、おかげで腕時計に衝撃が与えられたり、磁気にさらされたりしても時計の正確さが保ちやすいようになった。そのため、メンテナンスに出すまでの期間が延びたのも、メーカーと消費者双方にとって嬉しいことだ。だがシリコンのヒゲゼンマイは一回壊れると修復できずパーツ交換することしかできないため、シリコンの普及もまた、時計職人の活躍の場を奪っているという声もあるし、純正主義の人の中には、「昔ながらのものづくりをしているからこそ求められる腕時計に人工素材のシリコンを使うことに抵抗がある」と言う人もいる。

２０１７年以降に目立ったのはナノテクノロジーの可能性だ。昔ながらの製作方法にこだわる職人でも、内部機構の主要なパーツをナノ粒子でコーティングすることで、よほど物理的な衝撃で時計の調子が狂わない限り、メンテナンスに出さなくてもよくなる時計が作れるというメリットがある。具体的には、乾燥潤滑剤のモリブデンで原子一個分の厚さのコーティングを施せば、メンテナンス時に塗布する潤滑剤がいらない、という原理だ。

いっそ、ナノ粒子からパーツを作ってしまおうという取り組みもあった。ヒゲゼンマイをカーボンナノチューブで作るのだ。カーボンはシリコン以上に強く、磁気や温度の変化に対しても非常に耐性が強い。カーボンナノチューブのヒゲゼンマイは、オーブンのような機械の中に、ヒゲゼンマイの型を入れておいてエチレンと水素を反応させて製造するというものだった。アメリカのユタ大学で12年かけて開発された技術を応用したもので、シリコンよりも不良品ができる率が低く、革新的な技術となると期待されたが、このヒゲゼンマイが使われた製品はリコールされてしまった。今後も新素材の試行錯誤は続くだろう。

以前とは確実に違う役割が時計職人に求められる中、時計業界は昔ながらのノウハウの継承とイノベーションをどう両立していくのだろうか。日本の伝統工芸継承とはまた違う課題が、スイスの職人の前に立ちはだかる。

小さな刺さないハチの底力
――ハリナシミツバチの養蜂（フィリピン）

人間は、はるか昔からハチミツが大好きだった。少なくとも８０００年前頃からハチミツを採取して生きてきたと考えられている。その愛は21世紀に突入した今でも健在で、世界中でセイヨウミツバチを使った養蜂が行われている。そして、天然素材を使った食品の需要が先進国で伸びる中、ハチ由来の製品の市場価値が高まり続けている。それに付随して、日本をはじめ世界中で養蜂の研究が行われ、教育プログラムも開かれている。

世界中でメジャーなのは多量のハチミツを作れるセイヨウミツバチの養蜂だが、フィリピンでは、ちょっと変わったミツバチの養蜂のほうが盛んだ。東南アジアに昔から住む「ハリナシミツバチ」というハチだ。セイヨウミツバチと同様、コロニーを作って社会生活を営むが、体はとても小さく、せいぜいアリ程度の大きさだ。そしてその名の通り、針を持たない。フィリピンではセイヨウミツバチは５００軒程度の農家が養蜂に携わる一方、ハリナシミツバチの場合は2000軒以上もの農家が携わっている。

とはいえハリナシミツバチから得られるハチミツはごく少量。セイヨウミツバチはコロニー一つに対して年間平均11キログラム程度を作るが、ハリナシミツバチの場合は2キログラム、がんばって4キログラムほど。こんなに生産量が少なくてもハリナシミツバチの養蜂が支持されるのは、フィリピンの農業を支える上で重要な役割を果たしているからだ。

小物扱いされていた現地のハチ

ハリナシミツバチはずっと昔からフィリピン諸島に生きていたにもかかわらず、2000年代まではその重要さが認識されずにいた。だがそんな状況を一転させ、ハリナシミツバチ養蜂を一手に普及させたのがフィリピン大学ロスバニョス校の「ハチプログラム」だ。

プログラム設立のきっかけは、フィリピン大学名誉教授クレオファス・セルバンシア博士が昆虫の受粉行動の研究のためにハチを飼い始めたことだった。「農家の敷地を貸してもらってハチを飼っていたところ、農家の人からハチの飼い方を教えてほしい、と言われたのです」とセルバンシアさんは振り返る。そこで農家や養蜂家志望の人向けに養蜂を教えるプログラムが設立されることになった。次第に、「ただそこらへんにいる昆虫」だと思われて重要視されていなかったハリナシミツバチの研究が進み、受粉に貢献していることや商業的に売れる程度のハチミツを作っていることがわかると、研究も教育もハリナシミツバチに注力するようになった。

こうした方向転換は、地元産業にとって良いことずくめだった。というのも、農業が全産業の25％を占めるフィリピンでは、一つの農家で一種の作物だけを栽培するモノカルチャーが盛んだ。フィリピンでよく作られる農作物の受粉には、セイヨウミツバチよりもハリナシミツバチのほうがはるかに適しているため、農業生産を上げるのに打ってつけだったのだ。おまけにセイヨウミツバチは、フィリピンだと病気にかかりやすく養蜂の初期費用も非常に高額のため、なおさらだ。

「受粉係の体の大きさが花の大きさと合わないと花は上手く受粉されませんが、マンゴーの花は小さいのです。そして、ハリナシミツバチは、本当に小さい。ですのでマンゴーとハリナシミツバチは、良い組み合わせなんです。同様の理由で、ハリナシミツバチはマンゴー、アボカド、ランブータン、ココナッツ等の受粉に向いています」とセルバンシアさんは言う。

以前ハチプログラムの研究者たちは、マンゴーに関して2年かけて、マンゴーの花を最も効率よく受粉できるハチの種類を突き止める研究を行った。比べたのは、セイヨウミツバチをはじめとする様々な種類と、フィリピン原産のハリナシミツバチ。その結果、ハリナシミツバチが一番受粉効率が高いことがわかり、マンゴー農家がハリナシミツバチを買い入れるまでに至った。今では、ココナッツやマンゴーの他にも、世界中で需要が高まっているアボカドや、アジア諸国で人気の果物のランブータンなど、付加価値の高い果物の多くがハリナシミツバチによって受粉されている。ココナッツの場合、ハリナシミツバチによる受粉で80%の収穫量増につなげることができた。

セルバンシアさんたちはこうした研究結果をもとに、ハリナシミツバチを使った受粉に関するガイドラインを作ってきた。そのノウハウの一例として、農薬や殺虫剤を散布するタイミングが挙げられる。「どの植物も、花が一番受粉されやすい時間帯があるのです。そしてそれは、ごく短い時間の場合があります。例えば、マンゴーの場合は朝の8時から10時が最も受粉に適しています。同時に、ハチの餌となる花の蜜が一番多く溜まっている時間帯でもあるので、ハチが食べ物探しに一番勤しんでいる時間帯でもあるのです。すると蜜を求めて花を訪れたハチに花粉が付着し、花から花へと飛んでいく中で受粉されていきます」とセルバンシアさんは言う。この時間帯に薬剤を散布してしまうと、多くのハチを殺してしまうことになる。散布の時間をハチが食べ物探しをしていない午後などの時間帯にずらすだけでも、ハチを守ることができる。

ハチプログラムの門を叩く人の多くは、今でも最初はハチミツから収入を得るのを想定して入学してくる。だがこうした受粉のメリットに気づくと、ハチミツ以外の収入方法も考えるようになると言う。「どうしてフィリピンではハチミツがもっと作れないのか、どうしてフィリピンはハチミツを輸入してばかりなのか、と言われることがありますが、私はその認識を変えたいです。フィリピン原産のミツバチは体が小さいのに、どうして体の大きいセイヨウミツバチと同じ生産量を期待するのでしょうか？　確かに東南アジアでは年がら年中花が咲いていますが、セイヨウミツバチが花粉を集めるキャノーラや、ユーカリや、アカシアはありません。これらの植物は一度に開花し、ハチたちが一斉に花粉を集めることができますが、ここではそうはいきません。ハチミツも生産量では勝負できませんし、勝負したいと思うべきではありません。そのかわり、私たちのハチが提供してくれる付加価値は多様なものなのです」とセルバンシアさんは言う。

養蜂には、化学も数学も必要

当初、ハチプログラムで教鞭をとる研究者はたった5人だったが、次第に生物学の研究者だけではなく、数学や化学や経済学の研究者をも巻き込むことに成功し、今は35人体制だ。特に化学面での研究は、ハリナシミツバチが作った生産物の内容物質を分析する上で、近年重要度を増している。「ハチミツにシロップを混ぜたり、成分表示を偽装するなど、世界中でハチミツの改ざんが問題になっています。市場に出回っているハチミツの30％ほどが何かしらの改ざんがされていると思われています。そのため、ハリナシミツバチのハチミツも、成分分析をしています」とセルバンシアさんは説明する。

数学の専門家が加わるようになったのはごく最近のことで、ハリナシミツバチの花粉の集め方に関する数学的モデルや、受粉のモデルなどに取り組んでいる。例えば、マンゴー農園1ヘクタールが受粉するのに必要なコロニーの数などを試算することができるのだ。こうした研究の結果、「数百ヘクタール級の農園ではハリナシミツバチのコロニーが何千個も必要」といった知見を得ることができ、養蜂家が農園にコロニーを納入するきっかけづくりにもなった。

そこで重要視しているのが、コロニーの質の担保だ。質とは、コロニーにいるハチの数のことを指す。コロニーが何千個必要と言われても、一つのコロニーにいるハチの数にばらつきがあっては農園も取引がしにくい。「質の悪いコロニーを提供してもらっては農園に対して不公平で、農業の発展につながりません。そこでコロニーの質の基準を我々が制定しました。ハリナシミツバチの巣は3つの部屋に分かれていますが、少なくとも2つ目の部屋までハチでいっぱいであることを担保することと、総重量が一定の重さを超えることが条件となっています。同じ値段でも、1つ目の部屋しかハチがいないようでは、買い手にとって損ですよね。このように基準作りを進めたことも、ハリナシミツバチによる受粉を簡単に受け入れてもらえた理由の一つです」とセルバンシアさんは言う。

ハチ、人を救う？

ハリナシミツバチによる受粉は、自然災害から農園が立ち直る上でも役に立った。

フィリピンは2013年の11月に、規模も被害も過去最大級の台風に見舞われた。台風はフィリピン中部を横断し、多数の農園に傷跡を残した。「少し経ってからサマール島のアボカド農園へ視察に行った際、私たちは呆然としてしまいました。花は咲いているのに、果実が全くないのです。これは台風によって、受粉係の昆虫がいなくなってしまったことを物語っていました。バナナなど、受粉係の昆虫がいなくても実を結ぶことのできる果物も存在しますが、多くの農作物の場合はそうではなく、収穫が全くできない状態でした。ココナッツもそうでした」とセルバンシアさんは語る。島であるがために、受粉係の昆虫が海を越えて自然に島へやってくるには、相当の時間がかかることがわかっていた。

そこで、フィリピン大学のチームはハリナシミツバチのコロニーを現地に持ち込んで、受粉を促した。「1年経たないうちにサマール島へ戻ったところ、無事に受粉が行われるようになっていて、島の人々は本当に喜んでいました」とセルバンシアさん。ここで鍵になったのが、「ハチ用の牧草地」と呼ぶ植物群だ。ハチが好む花をはじめとする植物群を農園に作ることで、ハチが住みやすい環境を作るのだ。モノカルチャーの場合、花が咲いている時は良いが、それ以外の時もハチは食料が必要なわけで、ハチ用の牧草地を整備することにしたのだ。「新しいハチコロニーを持ち込む前に、コロニーの栄養源を確保することが重要だとわかったので、今ではまずハチ用の牧草地を整備するよう勧めています。特に、フィリピンを含め環太平洋火山帯に位置する国々は、頻繁な自然災害のために農園に住む受粉係がいなくなってしまうことに備えなければなりません」

まだまだある、秘めたポテンシャル

今、新しい収入源としてのポテンシャルが非常に高いのが、ハチが巣に塗る樹脂状の物質「プロポリス」だ。高い抗菌効果があることで知られている。プロポリスは古代から人類に用いられており、エジプトではミイラの防腐剤として使われていた。

ハリナシミツバチはハチミツこそたくさん作らないが、プロポリスは大量生産する。そして、ハチの種類によってプロポリスの含有成分は多種多様だが、フィリピン大学の研究者たちは東京大学との共同研究でヒト培養細胞とマウスで実験を行ったところ、フィリピンのハリナシミツバチのプロポリスに胃がんの腫瘍細胞の増殖を抑える効果が確認できたと2018年に発表した。

「元々プロポリスの市場価値を意識してハリナシミツバチの養蜂を普及させてきたわけではないのですが、分析をして、様々な微生物の増殖が抑えられることはわかっていました。それを学会で発表したところ、興味を持つ企業が現れて、現地視察するまでに至ったのです。それでいかに付加価値が高いかがわかるようになりましたし、フィリピンの農家や養蜂家の生活に役立つことを願っています」とセルバンシアさんは言う。実際、フィリピン国内のプロポリス需要といえば、手作り石鹸を作るためくらいのもので、海外でここまで重宝されることは目から鱗《うろこ》だったとのこと。「良い話ですが、一定のプロポリス生産量を確約することはしないようにしています。大量生産向けの需要量を、体の小さなハリナシミツバチが作り出すことは難しいでしょうから」

世界からの高まる需要を受けて、今後もフィリピンの養蜂は伸びていくのかもしれない。

コラム

ハリナシミツバチのハチミツ

ハリナシミツバチはたくさんハチミツを作らないが、同じ質量に対する価値は、実は広く出回っているセイヨウミツバチのハチミツよりも2－3倍ほど高い。そして一般的なハチミツよりもショ糖含有量が少ない。一般的なハチミツのショ糖含有量は5－15％のものがほとんどだが、ハリナシミツバチの場合は高くて1％。フルーティーで甘酸っぱい味がするのが特徴だ。ハリナシミツバチの口の中の酵素が糖分をグルコン酸に転換し、独特な味になるのだ。独特さが故に海外でも買い求める人もいる。

次の1000年には、世界で使われる？
——アーユルヴェーダ医学（インド）

「インドといえば、カレー」

もし近年のインド政府の取り組みが成功すれば、これは「インドといえば、アーユルヴェーダ」に置き換わるのかもしれない。

インドの伝統医学アーユルヴェーダは、漢方のもととなる中国医学とイスラーム文化圏で発展したユナニ医学とともに、世界の三大伝統医学とされている。

インドにおいて、アーユルヴェーダはれっきとした一学問として認識されており、大学で5・5年の教育課程を受けてようやく正規のアーユルヴェーダ医師になれる。5・5年間という教育期間は、西洋医学と同じだ。そして地域によってはなんと、アーユルヴェーダの医師は西洋の医師と同じ権限を持ち医薬品を処方することができるのだ。アーユルヴェーダの教育課程を提供する大学はインド国内で300校近くあり、うち50校ほどは公立大学だ。インドの他にも、近隣諸国のスリランカ、ネパール、バングラデシュでも同様の教育課程がある。

今、インドは国を挙げて伝統医学を促進しようとしている。そんな流れを受けて、医学の道に進む学生にも変化が見えてきている。伝統医学に詳しいイギリスのノッティンガム大学のカウシック・チャットパッディイェイ博士は、「かつては西洋医学のほうが人気でしたが、アーユルヴェーダの人気は年々上がっていくばかりです。政府がアグレッシブに後押ししていることもあり、今はむしろアーユルヴェーダのほうが競争率が高いと言っても過言ではないかもしれません」と言う。チャットパッディイェイさんも、アーユルヴェーダで医学の学位を取得したうちの一人だ。

代替だとは、誰が言った?

アーユルヴェーダの起源は、少なくとも3000年以上前、諸説によっては5000年ほど前まで遡る。アーユルヴェーダの薬は700種類近くの薬草や、バターなど動物由来の製品や、鉱物や金属を混ぜ合わせて調合され、インド料理でお馴染みのスパイスであるターメリックやクミンもよく使われる材料だ。例えば風邪をひいた時はシソ科のハーブのカミメボウキが咳に効くと言われており、葉っぱをそのまま噛んだり、他の成分と混ぜて煮出したものを飲み薬として服用したりすることがある。

薬だけがアーユルヴェーダではない。性格や体の特徴に応じて人間は大きく3タイプの体質（ドーシャ）に分類できるとされ、ドーシャごとに合った食事方法や生活習慣（運動の種類やタイミング、避けるべき環境、睡眠のタイミングや時間など）を指導される。また、パンチャカルマといって、瀉《しゃ》血《けつ》をしたり下剤や浣腸や嘔吐剤を使って数週間かけてデトックスを行う方法もある。総合的に、病気になりにくいように体調を整えていくことが目標だ。

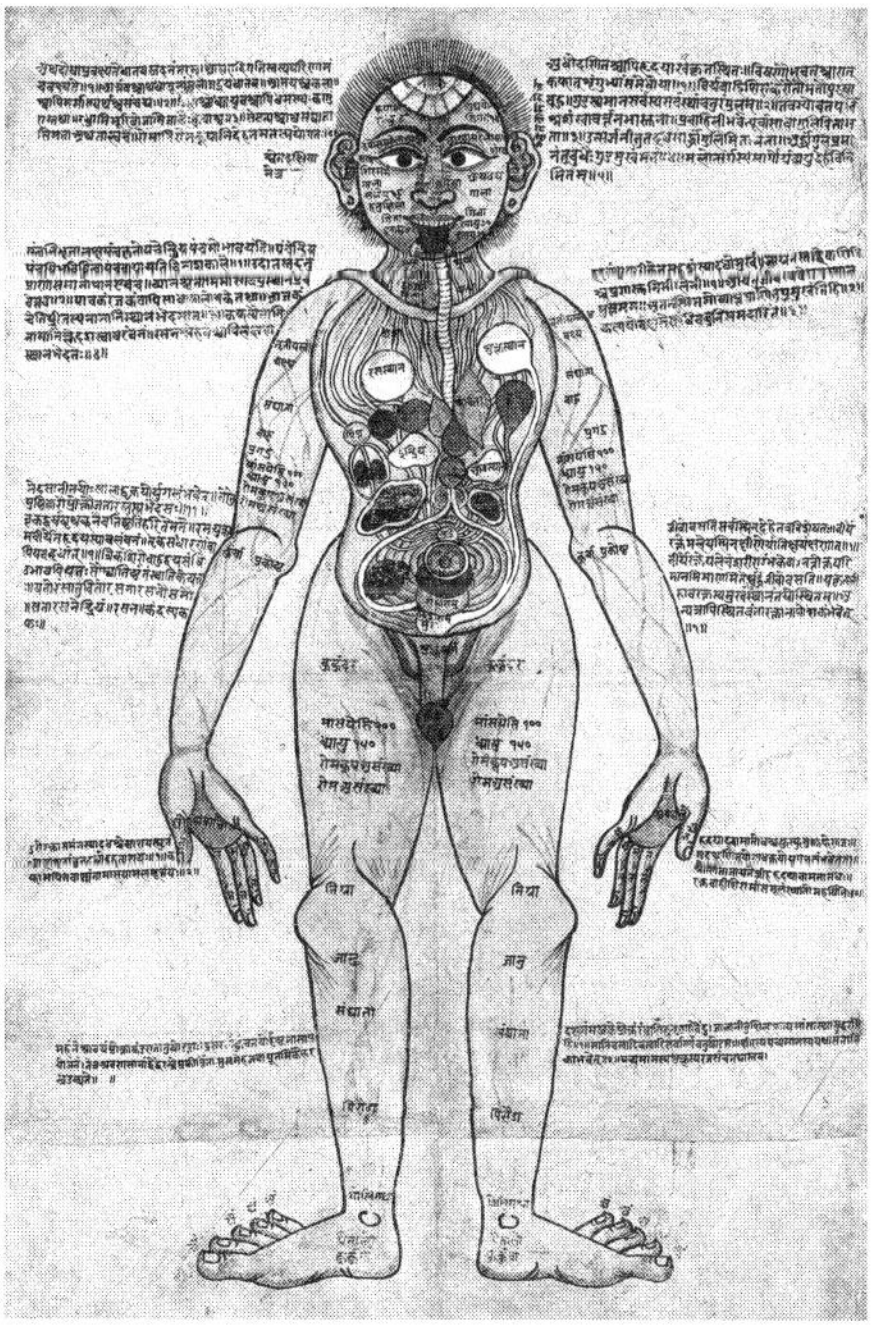

アーユルヴェーダ医学の解剖図（Wellcome Collectionより）

そしてアーユルヴェーダでは特有の手術方法も確立されている。２０００年以上前の文献には「死人の体を解剖して体について知るべし」と記されており、痔や、四肢の切断や、鼻、眼科手術などについての記載がある。中でも鼻の手術は、額や頬から皮膚を切り貼りするべきと書かれており、現代医療と近いところがある。鼻で息をしやすくしたり、刑罰で鼻をつぶされたり切られたりした時に使われた。

アーユルヴェーダの薬や生活習慣改善方法は近年、「代替医療」として、西洋でも親しまれるようになってきた。でもアーユルヴェーダが生まれたインドでは、アーユルヴェーダは代替品ではなく、元からあった医療だ。今でもインドで広く支持されており、特に少数民族、女性、高齢者、低所得者、田舎で生活する人の間で使用率が高い。田舎で生活する人のうち65%は、病気にかかった時はまずアーユルヴェーダ医療を使うとされている。インドの人口の65%は田舎で生活しているため、いかに多いか想像がつくだろう。大量生産された薬品を処方するのではなく、個々の体質や症状に合わせて薬を調合したり、手当てを考えることから、アーユルヴェーダは元祖オーダーメイド医療と言われたりする。

「インドでは、西洋医学の副作用は強いと認識されています。例えば二型糖尿病をはじめとする慢性的な病状を持っている場合、インドでは一般的に『西洋医学の治療を受ける前に、まずはアーユルヴェーダの治療を試そう』と考えることが多いです」とチャットパッディイェイさん。慢性的な病状のうち、特に相談が多いのは消化器系に関するものだ。

ただでさえ人気が根強かったアーユルヴェーダは、ヒンドゥー至上主義政党のインド人民党が与党になってからさらに促進されるようになった。インド人民党は伝統医療のリバイバルを一つのミッションとして掲げ、2014年に与党になると間もなく伝統医療や代替医療を促進する「AYUSH省」を設立した。〝AYUSH〟とは、アーユルヴェーダ、ヨガと自然医学のユナニ、南インドに伝わるシッダ医学、ドイツで発祥したホメオパシーの略称だ。元からインドの保健・家族福祉省の中に同様の趣旨の部署はあったが、インド人民党によって専門の省にアップグレードされた形になる。それからは予算が以前の3倍額相当が注ぎ込まれるようになったのだ。今、インドの医者の6割はアーユルヴェーダをはじめとする伝統医療や自然療法に従事している。

教科書はナゾ言語

アーユルヴェーダの学位は「アーユルヴェーダ・医学・外科学士（BAMS）」と呼ばれ、1970年代から大学教育として提供されるようになった。5・5年間の課程で学士号を取得した後は、西洋医学と同様、修士課程や博士課程に進み、皮膚病、脊椎疾患、眼科疾患、肛門直腸疾患をはじめとする専門分野を極めることができる。

アーユルヴェーダの教科書は、インドの多くの人にもあまり馴染みのないサンスクリット語で書かれている。サンスクリットはかつて学問や宗教に使われた言語で、現代では主に宗教儀式で使われている。アーユルヴェーダの教科書は、今日まで度々編集や加筆がされてきたとはいえ、2000年ほど前にサンスクリット語で書かれた内容をほぼそのまま使っているのだ。サンスクリット語の教科書を使うというのは、日本語の文脈に置き換えるのであれば、漢文をそのまま教科書として使う感覚に近いのかもしれない。

こうして何千年も前から受け継がれてきた知識を頭に叩き込むのに加えて、BAMSの課程では実は西洋医学も学ばなければならない。近代の生理学、解剖学、薬理学、病理学などの分野も学習し、アーユルヴェーダとの共通点を見出していく。例えば西洋医学で言う二型糖尿病は、サンスクリットの教科書の中では『マドゥメハ（Madhumeha=「甘い尿」の意味）』という呼ばれ方をされる。一通りマドゥメハについて学んだと思ったら、また一通り西洋医学の観点からの知見や治療方法もさらう必要があるのだ。「西洋医学の学生と同じ5・5年間で全て履修しなければならず、もう、説明ができないくらいぎっしり内容が詰まっていました」とチャットパッディイェイさんは言う。

こうして西洋医学の知識もある程度身につけることから、一部の州ではBAMS課程の卒業生が西洋医療の薬を処方することが許可されている。また、2020年からは、BAMS取得後に大学院を修了した卒業生は整形外科手術や、眼科・耳鼻咽喉科の手術や、歯科手術ができることになった。

データはいずこ

近年、アーユルヴェーダはヨガと同様、インドの主要なソフトパワーとしてインド国内で認識されるようになった。だが依然として、国内の西洋医学の医師の多くからはアーユルヴェーダに対する反発が強い。「現代の医療に携わっている医師は、こう聞いてくるのです。『有効だという根拠はどこにあるのか?』と。彼らの論点は至極真っ当と言わざるを得ません」とチャットパッディイェイさんは言う。というのも、アーユルヴェーダは西洋医学のように臨床試験を通して有効性が検証されて作り上げられたものではなく、今でもその有効性に関する研究が乏しいからだ。

近年、特に反発が強かったのは、インド政府が新型コロナウイルス対策の一環としてアーユルヴェーダの治療方法を推奨し始めた時だ。軽症の場合は、バターを鼻の中に塗ったり、胡椒《こしょう》・生姜《しょうが》・ハーブ数種を混ぜた熱い飲み物を飲んだり、ＡＹＵＳＨ省が部署時代にマラリア用に開発し特許を取得したハーブ調合剤の「ＡＹＵＳＨ－64」を飲んだりすることが推奨された。ＡＹＵＳＨ－64には解熱作用や抗炎症作用が確認されているのと、ウイルスが体内で増殖するのを防げるというのが効能で、当初は重症の場合もアーユルヴェーダは治療の選択肢に入れても良い、と発表した。ＡＹＵＳＨ省の記者会見では、ＡＹＵＳＨ省が推奨した治療方法は全てラボで行われた研究や、動物試験や、人で行った臨床試験に基づいたものだと発表されたが、臨床試験は少人数かつグループごとの比較を行っていないものであり、信憑性はいたって低いと西洋医学の医師たちは指摘した。また、臨床試験は新型コロナウイルスではなくマラリアやインフルエンザの患者に対して行われたものであり、新型コロナウイルス向けに応用するのは良くないとも指摘した。

　チャットパッディイェイさんは、ことの元凶は、研究文化というものがアーユルヴェーダ医学界には元々存在しないことだと指摘する。「アーユルヴェーダの専門家は、私の知り合いの多くを含め、定量的な研究に対する感心が薄いようです。もう何千年も使われてきたから、今更研究する必要はないだろう、と。それよりは目の前にいる患者さんの治療に専念したり、アーユルヴェーダを世界に向けてＰＲすることに意義を見出す先生方のほうがはるかに多いように感じます。ですが今後、インド国内を含め、アーユルヴェーダを世界に向けて売り込むのであれば、世界の医者や消費者が納得できるやり方で根拠を提示せざるを得ません。インド国内では、インフルエンス力や財力さえあれば力ずくでPR活動ができますが、海外に向けて発信するのであれば強い科学的根拠がなければ通用しません」

研究結果は全くないわけではない。チャットパッディイェイさんは、二型糖尿病に対するアーユルヴェーダの有効性を研究した論文219本を集め、総合的にアーユルヴェーダが有効と言えるかどうかを分析し、2022年に結果を論文で発表した。「ある程度有効であるという結論に至りましたが、質が良くない論文が本当に多かったんです。研究対象の人数が少なかったり、デザインが悪かったり。医学研究のゴールドスタンダードと言われる、ランダム化比較試験という方法を使おうとしている研究もあるのですが、ランダム化比較試験を上手く行うためのノウハウや経験が、アーユルヴェーダの専門家の中では足りていない印象です。これまでアーユルヴェーダではこのような研究が行われてこなかったためノウハウや経験が蓄積されていない、というのもありますし、BAMS課程の中で研究について教えようという動きはあるものの、教える教員がノウハウや経験を持っていないから効果的に研究についての教育ができていない、というのもあると思います」とチャットパッディイェイさんは言う。

中には、一つの薬の有効性を臨床試験で試す西洋医学とは違い、アーユルヴェーダは薬だけでなく、他の手当てや生活習慣の改変を組み合わせて治療を行うため、そもそもアーユルヴェーダの有効性を西洋的な手法で測るのは無理だと言う人もいる。「でも無理なはずはないと考えます。確かに研究を行うのは難しいですが、いろんな研究の方法があります。例えば、アーユルヴェーダで行われる様々な一連の処方は、西洋医学でいう『複雑な介入』という考え方に置き換えることができる。複雑な介入とは、複数の要素がお互いに影響し合うような治療のことですが、イギリスには複雑な介入を評価するためのガイドラインがあり、定期的に更新されています。アーユルヴェーダがただ薬を与えるだけの治療ではない、と言うのであれば、複雑な介入として研究を進めれば良いんです」とチャットパッディイェイさんは言う。

また、アーユルヴェーダの薬の中には鉛や水銀やヒ素など、量によっては体にとって有毒な鉱物が含まれることもある。重金属中毒を引き起こす患者が一定数いることが問題視されているが、「アーユルヴェーダの専門家は、教科書の中に鉱物を加工し無毒にする方法が記されているため、きちんと処方通りに薬を作ったのであれば重金属中毒は引き起こさないはずで、下手な人が作るから重金属中毒になる、と言うのです」とチャットパッディイェイさん。研究が行われない限り、元の教科書が良くないのか、作り手が悪いのかは解明のしようがない。

効果は只今検証中

こうして、インド国内では研究がなかなか進まない状況だが、むしろ海外で加速しつつある。チャットパッディイェイさんが行った二型糖尿病の分析もイギリスの公的機関である一般医師評議会の助成金で行われた。「助成金は決して簡単に与えられるものではありませんが、評議会はこの研究に関してとても前向きでした。『私たちにとっては代替の医療であっても、何かしらのエビデンスが得られるのであればやってみよう、新しいことを試してみよう』と。有効性を否定する前に、まず調べてみることに対してよりオープンな印象です」とチャットパッディイェイさんは言う。

他にも、公衆衛生と熱帯医学で有名なロンドン大学衛生熱帯医学大学院はＡＹＵＳＨ省と共同プロジェクトを始めた。新型コロナウイルスの罹患後の症状が長期にわたって見られる患者において、アーユルヴェーダで使う薬草アシュワガンダの効果を調べる内容だ。アーユルヴェーダでは、アシュワガンダに抗炎症作用があったり、身体のストレス耐性を上げたりすると言われているが、今のところ信頼性の高い研究結果が出ていない。今回の研究では、息切れや倦怠感や筋肉痛や不安障害や頭がぼーっとする認知機能障害といった症状に効くかどうかを試すことになっており、イギリスに住む２０００人の患者を対象に、生活の質の変化や身体的・精神的な症状の変化を数か月ごとに測る。結果が出るのは、まだこれからの話だ。

こうしたものをはじめ、「関節痛や腸の病気など他の慢性的な病気や、非感染性疾患ではきっとアーユルヴェーダの有効性が見つかるのではないかと思うんです」とチャットパッディイェイさんは言う。ガツガツ温故知新していきたいところだ。

小麦の大産地で、究極の主食を追求する
——ベーカリー科学（アメリカ・カンザス州）

小説『大草原の小さな家』の舞台になったカンザス州。小説の名の通り、平たい草原のプレーリーの生態系がどこまでも広がる、この大草原にポツンとたたずむ小さな町で、とにかくパンや焼き菓子を焼きまくる学生たちがいる。しかも、焼くのはあえて失敗作ばかりだ。

これは、カンザス州立大学のベーカリー学科。製パンや製菓の科学についての専攻だ。「実習の中で料理教室のように美しいパンを作っていたのでは、私たちにとってあまり意義がないんです。むしろ、実習では、質の悪い製品をたくさん作ることで学習効果を狙っています」と、学生たちを教えるエリサ・カークル博士は言う。彼女自身、この学科が含まれる学部で博士号を取得し、ブラジルでキャリアを積んだ後にカンザスへ戻り、2021年から当大学の准教授に就任した。

悪い製品をたくさん作るのは、パンや焼き菓子を工業的に生産するのに重要な要素を学ぶためだ。実習では、正しいレシピで一つだけパンや菓子の成功作を作り、他は材料やその含有率を替えることで、様々なパターンの失敗作を作ってみる。こうして失敗作と成功作を比べ、正しい材料がどんな役割を果たしているかを頭の中に叩き込む。

こんなニッチな学問が大学で教えられているのは、カンザスの群を抜く小麦生産量が密に関係している。小麦生産の基盤があるため、小麦粉の製粉や、パンや焼き菓子生産の産業も盛んなわけである。そして、パン業界を牽引していく人材を育成するために、ベーカリー学科が設けられた。パンや焼き菓子は世界中で製造されており、各企業がそれぞれ独自の技術を開発しているが、小麦の大生産地だからこそ行える研究や教育で世界のパン・焼き菓了業界を支えている。

大器晩成型の地元産業

カンザスの小麦産業は、コツコツ積み重ねる努力の意義を鏡写しにしたようなものだ。

今では毎年、アメリカで1位や2位の小麦生産量を誇るカンザスだが、ずっとそうだったわけではなかった。カンザスで小麦生産が始まったのは1839年のこと。西部へ向かう開拓民たちがカンザスで栽培を始め、カンザスに定住する開拓民が増えるにつれて州全体に栽培地域が広まっていった。小麦にとってカンザスの夏は暑すぎてとても気候が合っているとは言えない土地だったが、１８７４年に東欧の移民が冬でも育てられる小麦を持ち込んだことで、徐々に小麦の生産量は増えていった。その後、カンザスの小麦畑は砂嵐や害虫で壊滅的な被害を被《こうむ》ったが、国が農業の研究を助成し始めたことや、農業機器の改良や機械化、そして積極的な品種改良が追い風となり、徐々にアメリカではトップにのし上がった。

今やカンザスの年間小麦生産量は３６０億斤のパンの生産に匹敵する。これは、世界の全人口を２週間養っていけるほどの量だ。

小麦産業発展の黒幕は、大学

カンザス州立大学のベーカリー学科は、穀物学部の中に含まれている。この学部は、歴史的にカンザスの小麦産業が成長する上で大きな役割を果たした。

小麦産業と言っても、カンザスは小麦栽培よりも前に、小麦の製粉で有名になった。穀物学部で長年教鞭をとってきたフルヤ・ドーガン博士は、小麦を粉にするには意外と多くの工程が絡んでおり、コーヒーの豆挽きのように、単に細かく砕けばいいと言うほど単純な話ではないと言う。まず、小麦の粒は、米の精米のように「おいしい部分」を取り出すことが必要だ。その上小麦は他の穀物と比べても製粉するプロセスが複雑で、下準備のために水に浸すことが必要であったり、砕粉したり、粉をふるいにかけたり、分離するためのステップがいくつもある。これらのステップをこなすには、5階建ての大きな建物が必要になってくる。

1910年には小麦の製粉に特化した学科が設立され、その後、産業の要望に応じてベーカリー学科が設立されることになった。他にも家畜の餌向けの穀物を扱う学科もあり、3つの学科それぞれが地元産業を支えている。現在、穀物学部では穀物や穀物由来の製品の研究で博士号を取得した研究者が教鞭をとったり、地元企業と連携して研究を進めたりしている。さらにはカンザス州立大学があるマンハッタン市には、穀物学部の他にもアメリカ農務省の研究ラボがあり、さらには最新科学を業界に取り入れるべく努めている米国製パン協会の本部もある。小さな田舎町の割には、製パンの研究開発のメッカなのである。

ベーカリー学科は、パンや焼き菓子を工業的に製造するために、小麦や他の材料がお互いにどのような化学反応を起こすかや、業界についての幅広い知識を学ぶことを主な趣旨としている。「同じ材料同士でも、環境によって起こす反応が全く変わってくるのです。温度、pH、塩分をはじめとした様々な要素があるので、化学反応をよく理解した上ではじめて思い通りの製品が作れるようになります」とドーガンさんは言う。

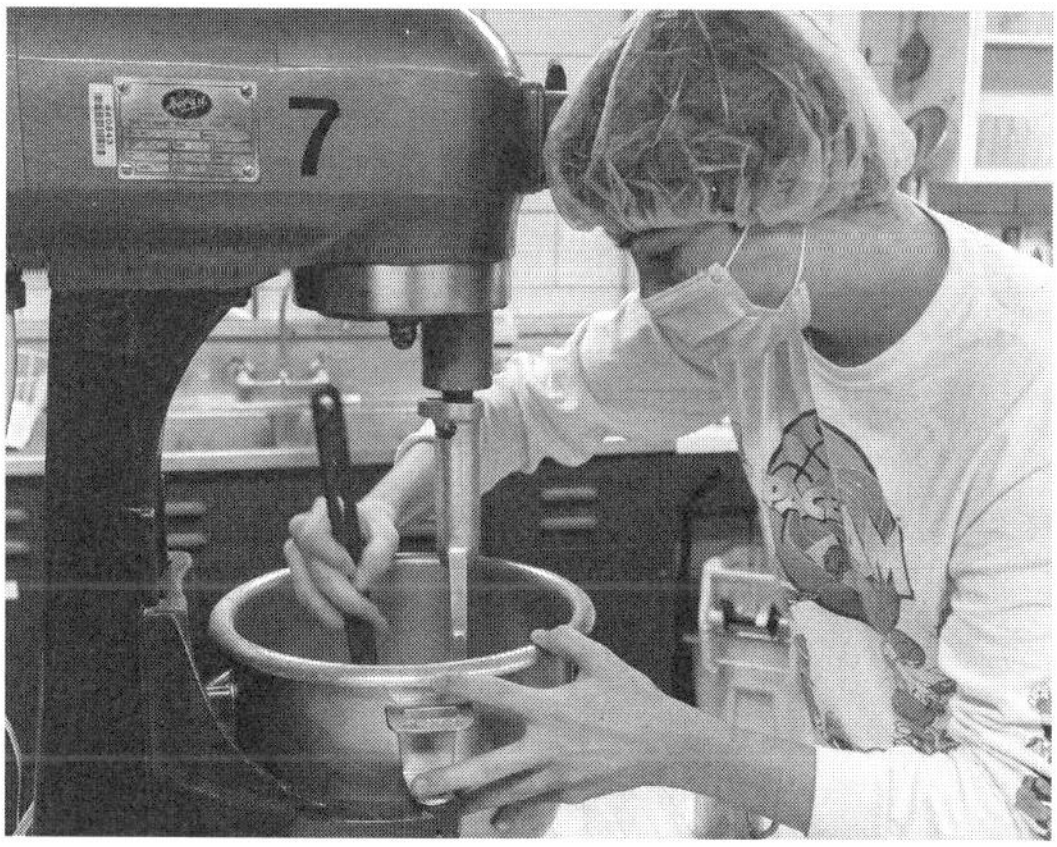
スポンジケーキの実験中。材料を変えることで、生産プロセスや品質にどのような影響が出るか試しているところ（写真提供：Kansas State University）

製菓専門学校との大きな違いは、卒業生たちが直接パン作りを行うというよりも、大量生産向けの新商品の開発や、生産ラインの管理者や、品質管理や、材料調達に携わるようになることだ。卒業生のほとんどがパンや焼き菓子を世界中で販売するグローバル企業に就職し、専門性が高いため平均初任給（年棒）は700万円相当と、同じ大学の工学部よりも20％近く高い。入学してくる学生は地元の学生がほとんどだが、就職先はカークルさんがそうであったように、世界中へと羽ばたいていく。そして一旦就職してしまえば、専門知識が豊富な故に、とにかく早いスピードで出世できると言う。まさしく、地元大学が生み出した、ニッチな分野のエリートである。

ちょっとクセモノの小麦

この学科ではケーキやクッキーをはじめ、小麦を使って焼いた様々な食品を扱っている。こうしたパンや焼き菓子を作るのには、まず追求したい食感に合った小麦粉を選定することから始まる。カークルさんは、こう説明する。「製品によって、小麦が果たす役割が全く異なってきます。パンの場合、小麦が主役です。パンの材料は小麦粉と水とイーストで、小麦がパンの形状の決め手となります。一方でケーキを作ろうとすると砂糖が必要になりますが、砂糖は小麦の性質を全く別物に変えるのです。他にも油脂や卵を入れますが、ケーキの場合はこれらの材料のほうが形状にとって大きな影響を与え、小麦は脇役的な役割を果たすにとどまります。パンでは、小麦に含まれるタンパク質のグルテンを形成させることが非常に重要になってきますが、ケーキの場合は逆にグルテンの形成を抑えないと、質感が損なわれてしまうのです」

塩もいい例だ。「塩は味に影響を与えませんが、生地の発酵の仕方や、焼いた後の食感を大きく左右するのです。消費者からの需要に応えてパンの減塩の取り組みが始まった時、製パン会社はとても苦労しました」とカークルさんは語る。塩はほんの少ししか入れないが、理想の量より入れすぎたり、少なすぎたりすると、質感が変わって同じ機械では生産できなくなったり、カビが生えやすくなったりと、工業的には生地が使い物にならなくなってしまう。ドーガンさんも、「最近、食品の減塩が謳われるようになりましたが、減塩するためにはただ塩の量を減らせばいい、というほど簡単な話ではないのです。だからこそ、塩の役割を化学的観点から理解し、塩を減らした時に生地にどのような反応が起こるか、塩の代用が可能なものは何かなどを考えられる能力が必要です。実習では、失敗作がどうして失敗作なのかを理解し、正しいメカニズムを学ぶためにやっています」と言う。

実習を行ったおかげで、イタリアに留学した学生が面白い土産話を持って帰ってきたこともあった。同じく教鞭をとるアーロン・クラントンさんは、「イタリアのトスカーナ地方のパンには塩が使われていません。知らずに留学した学生が、『実習で塩を入れないパンを作ったことがあったから、先生、何がいけなかったのかすぐわかりましたよ！』と言って帰ってきました」と言う。トスカーナ地方のパンは味気がなく乾いた食感になっており、そのため塩味の強い生ハムや、煮込み料理と食するのには適しているとされるが、アメリカ式のパンを学んできた学生にとっては間違いのように感じたのかもしれない。それにしても、食べただけで足りていない材料がわかるとは、さすがだ。

企業とは、持ちつ持たれつの関係

穀物学部は、元々業界の要望を受けて設立された学部だけあって、業界とは密に連携している。企業が問題提起をして、教授陣がそれに対するプロジェクトをスタートさせることはよくあることだ。また、学生をトレーニングがてらバイトやインターンシップに出すことは、学生が就職するのに有利な経験を積むのにも役立つし、企業からしても人手が増えるのでお互いウィンウィンなのだ。またさらに、企業は大学の構内に10億円級の製粉場や飼料工場を作ってくれたりと、研究や教育に使う機器も与えてくれている。それだけ、穀物学部での教育は重要視されているのだ。

ベーカリー学の教授陣が常日頃から取り組んでいるプロジェクトの一つに、新しい小麦の品種の実験がある。「品種改良を行う農学系の研究者は、小麦の収穫高や、収穫のしやすさの観点を重視して品種改良に取り組んでいます。でも果たしてその小麦から得られた小麦を使ってパンや焼き菓子を作った時に、どんなメリットが得られるのか。よく焼けるのか、きちんと発酵されるのか。私たちはそんなことを実験しています」とカークルさんは言う。「過去には、穀物学部の教員の貢献に感謝を込めて、新しい品種に教員の名前がつくこともありました」

お客様は神様?

こうしたリサーチを重ねることで、製パン業界は斬新な商品や市場の要望に合わせた商品を開発することができるのだ。

食べ物にも流行り廃りがあり、消費者が欲しがるものはコロコロ変わっていく。そのたびに、製パン企業は、生地の材料だけではなく製造工程や使う機械、そして保存方法などを変えていく必要がある。国によってウケが良いものと、売れないものがあるから尚更大変だ。「私のキャリアの中でも、アメリカのパンのトレンドは低炭水化物一色だった時もあったし、タンパク質補強製品が売れた時もあったし、今ではケトン食が流行っています。より健康に食べよう、という趣旨は一貫しているのですが……」とクラントンさんは言う。

特に業界を悩ませたのが、グルテンフリーが流行った時だ。先述の通り、グルテンの形成がパンの形状の決め手となるが、これを無くしてパンを作れ、と言われているわけだ。

「基本、グルテンなしに良いパンは作れませんが、このような要望に直面した時、材料の機能や材料同士がどのような反応を起こしているか知識を持っていれば乗り越えることができるのです」とドーガンさんは言う。穀物学部の研究や製パン業界各社の取り組みによって、グルテンフリーのパンは、米粉やタピオカ粉やアーモンド粉など、グルテンの含まれないデンプンで作られるようになった。

このような形で、小さな田舎町が、世界の製パン業界を支えている。「ニッチで認知度が低いことが我々の悩みですが、需要はとにかく高いんです。ほぼ全ての学生が卒業直後に就職できているのに、この学科はむしろ定員割れしているのです。実際はもっと我々の卒業生のような専門知識を持った人を雇用したいというのが業界の願いです」とクラントンさんは語る。

今後はどんなパンや焼き菓子のトレンドを作ってくれるのだろうか。卒業生たちのクリエイティビティに期待したい。

コラム

小麦の美白は至難の業

工業的にパンを大量生産する場合、おおまかなプロセスは世界共通だが、消費者の好みや時代の流れに応じてプロセスは微調整されていく。例えば日本の食パン。中が真っ白な食パンを作るためには、美白の中の美白を極めた小麦粉が必要なのだ。「あの白さを実現するために、日本の大手製粉企業や大手製パン企業は、各社独自の技術を持っています」とクラントンさんは言う。ドーガンさんも、「色がくすんでいない真っ白な小麦粉を作るためには、不純物を綺麗さっぱり取り除く必要があるので、製粉の際の工程を増やす必要があります」と言う。製粉工場に運ばれてくる小麦には、小枝や小石や、ナゾのゴミや、他の穀物、質の悪い小麦など、ありとあらゆるものがちょくちょく交ざっている。「工程を増やせば増やすほど、綺麗に分離された白い粉が得られますが、工程が増えて労働力が増えることや、小麦の軽い皮を吸い上げるピュリファイヤーと呼ばれる高価な機器が必要になってきます。それでも日本の消費者が白さを求めるから、日本の製粉企業は手間とお金をかけて「でも工程を増やしているのでしょう」

拝啓　製粉企業ご一同様。わがままを言ってすみません。そしてありがとうございます。

1万年続く最適化

――羊・ウール研究（オーストラリア／ニュージーランド）

人類が一番長くお世話になっている動物の一つに、羊が挙げられる。羊は1万2000年前頃に家畜化され、以来、肉や、羊乳や、毛皮が活用されてきた。当初、羊毛は刈ったモコモコの状態のまま被って防寒用に使われたりしたが、少なくとも紀元前3000年のメソポタミア文明ではすでに、織機の発明に伴ってウールが上着から靴までありとあらゆるアパレルグッズに活用されていた。

それから5000年後。ウールの大産地となったのはオーストラリアとニュージーランドだ。イギリス領時代に食肉用に持ち込まれてから紆余曲折を経て、国の一大輸出品と化し、世界大戦や朝鮮戦争が勃発した際は軍服や毛布を作るためにウールの需要が増大し最盛期を迎えた。ところがその後、人工繊維の台頭でウール業界はみるみる縮小。過去20年間でも人工繊維の生産は約2倍に跳ね上がった一方、ウールは需要も生産も減ってきている。中でも大きな要因は、フォーマルな服の需要減少だ。世界のウールの半分は衣類に使われ、中でもニットのアウターやスーツに使われる場合が多かった。職場でよりカジュアルな仕事着が好まれるようになったことも後押ししてか、スーツ用の需要が減少し続けているし、さらに新型コロナウイルスによって在宅勤務が増えたことから、尚更スーツの需要が減った。今、ウールは世界の繊維供給の1％しか占めていない。

こうした業界の繁栄と衰退は、教育機関でも見られる。オーストラリアでは1951年、ウールのブームの最中に、ニューサウスウェールズ大学にウールで学士号を取得できる学科が設立された。ところが1997年に新規学生の募集を停止してしまった。

それでもまだ、知識を深め、ウールの新しい価値を創造しようと大学や公的機関や業界団体が連携して動いている。オーストラリアでは2001年以後、どこの大学も独自に羊やウールで学科を設立できるほど教員数と学生数を担保できなかったが、大学同士がシンジケートを組むことで教育課程を提供するようになった。2016年以降は、フルタイムで働く人でも参加しやすいよう、オンラインの講義を主軸に、ニューイングランド大学を筆頭に教育が提供されている。ニュージーランドやアメリカでも、教育プログラムがポツポツと提供され続けている状況だ。そして研究者もまた、業界を改善しようと奔走し続けている。

加工前の羊毛は、1年間洗っていない毛布

ウールは羊毛から工業的に生産されるが、その源となるのは生きた動物。栄養状況や健康管理など、与えられた環境によって育ち方やコンディションが変わる。そして年々異なる天候状況によっても出来上がる羊毛の性質は左右されるのだ。例えば、降水量が少なかった年には牧草地の草があまり生えず、ウール加工の梳毛《そもう》工程に影響を与える繊維強度が低下してしまう。また、熱を出したり、寄生虫で病気になってしまった時期があった場合は毛に細い部分ができてしまう。羊が晒《さら》される環境がどう変わろうとも、工業的に加工できる羊毛を生産することが羊農家の使命だ。

ちなみに羊毛を刈ることは、未だにマニュアル作業で行われている。羊毛が刈られるのは、一般的に12か月に1回。プロの刈り職人がいて、羊毛を刈る季節になると一気に農場の羊の毛をバリカンで刈るのだ。品種や羊の年齢にもよるが、プロは早くて1分で羊1匹の毛を刈ることができる。労働力不足に備えて今、羊毛を刈るための工業ロボットが開発されている。

羊毛の品定めコンテスト（写真提供：South Dakota University）

ウールに加工する前の羊毛の価値に大きく影響するのは、最終的に取れるウールの量と、毛の細さ、長さ、そして強さだ。細く、長く、強いほど価値は高い。細いほうが手触りは良く、長く強いほうが加工時に扱いやすいからだ。また、こうした特徴が羊1匹分の中で不均一だと、生産ライン向けに加工する手間暇がかかってしまうので、価値が下がってしまう。

ウールを扱う教育課程では、ウールに加工する前の羊毛の段階で品定めする方法が教えられているが、なんとアメリカでは、高校生や大学1年生向けに羊毛の品定めコンテストまであるのだ。羊毛が15－30種類ほど与えられ、目視や手で触ってみることで価値をランク付けし、その正確さを競う。強豪はやはり、ウール生産量がアメリカナンバー1のテキサス州だ。

羊毛は、毛布を被りながら外の草地を1年間這いずり回った後に刈ったようなものなので、積もり積もった皮脂でギトギトしているだけでなく、乾いた汗もこびりついているし、砂と土と塵や、草や種の破片も紛れ込んでいる。羊毛は羊農家から卸された時点では、まだそんな状態で取引されるのだ。その後に汚れが落とされ、毛糸やウール製品へと加工されていく。加工前の状態から、最終的にどれほどの価値があるウールが得られるか目視でわかると、羊農家が自分の羊毛の価値を計算したり、より良い子羊を得るための繁殖計画を立てることもできる。また、バイヤーが、品定めをして最も求めているものに近い羊毛を選ぶことにも役立つのだ。羊毛の品定めコンテストはゲーム化した英才教育とも言えよう。

羊毛にとって大事なのは、羊のお肌

現在羊毛用に飼われている羊は、過去200年間の繁殖の努力の賜物だ。軽くて暖かいメリノウールを作ることで有名なメリノ種の毛も、100年前とは随分変わった。品種改良が始まる前の羊は、ゴワゴワした繊維を持ち、色のつき方がまだらで、強度は弱く、季節が来ると勝手に毛が抜け落ち、繊維の中に空気の芯が通っている、という具合だった。その上、毛の密度が比較的低く、そのため羊毛の生産量も少なかったのだ。いわば、ウールというよりは、「毛」といった感じだ。それが今ではどうだろうか。かつて直径30－120マイクロメートルあった毛は、ファインウールを作る品種なら10－20マイクロメートルの細さになり、色ももっとずっと白くなって染色しやすくなり、毛は人間が刈らないと落ちないので、伸びた毛を無駄なく収穫できるようになった。

ここ数十年で理解が深まったのは、質の良い羊毛を生やす羊の毛包の性質だ。毛の細さやそのばらつき、長さ、強さなどの質は全て羊一匹一匹の毛包による。そしてそれは、羊が胎児の時に決まるのだ。皮膚の発生段階で毛包の数や密度が決まるが、母羊の栄養状況が悪いと皮膚にできる毛包の数が少なくなってしまう。ということは、生まれてくる子羊から生涯取れる羊毛の量も少なくなってしまうのだ。逆に栄養状況が良好なら毛包の数が増え、皮膚中の毛包の密度が高まるため毛包個々のサイズが小さくなり、結果として細く価値の高い羊毛が得られるようになるのだ。

2013年以降に重ねられてきた研究ではウールのチクチクする感触は羊毛が太いことで引き起こされることがわかり、2014年に羊のゲノムが解読されてからは、遺伝子と体の特徴の関係もより理解されるようになった。今後品種改良を行ったり繁殖計画を練ったりする上で活用の期待が集まる。

まずは元気に育てよう

今後、羊農場の利益を向上させるために重視されているのが、子羊の生存率、特に双子以上の生存率を上げることだ。というのも、子羊が乳離れをする前に死んでしまう率は世界中で限定要因となっている。遺伝子学や、栄養学や、管理面で様々な発見があったにもかかわらず、過去40年間、子羊の致死率はずっと15－20％のままだ。これは、他の家畜の倍以上だ。双子や三つ子は、一人っ子よりも体が小さく生まれ、致死率も高くなっている。

オーストラリアのマードック大学の研究者たちは20年かけてベストプラクティスを啓蒙し続け、その過程で羊農家向けに2種類の教育プログラムを立案した。これらのプログラムに参加した羊農家は、羊1匹あたりから生まれる子羊の数を7％以上増やすことに成功している。小さな増加に思えるかもしれないが、数で言うと毎年１００万匹多くの子羊が生まれていることになる。

今注目されているのが、群れの大きさと生存率の関係だ。２０１６年にマードック大学主導で始まった研究で、オーストラリア各地の85軒の農家を調査したところ、群れに羊が

100匹増えるごとに双子の子羊の生存率が2・25％減少することが確認された。逆に双子を妊娠している羊を群れから100匹減らすと、1・1％－3・5％の生存率改善が望めることがわかった。この知見を実際に活用するには、羊農家が妊娠スキャンを行い、2匹以上の子羊を妊娠しているか見極めることが必要だ。

ニュージーランドのマシー大学の研究者たちも、妊娠した初期の栄養状況が子羊の生存率に大きく関わるため、双子以上を妊娠している羊に優先的に栄養を与えるためにスキャンが必要だと説いてきた。双子や三つ子の羊の胎児は、妊娠後期になると多量の栄養を必要とするが、その量があまりに多く、母羊が必要な栄養を物理的にエサから取ることができないのだ。妊娠初期の頃から最大限エサを食べ、脂肪を蓄えておけば子羊たちが妊娠後期にそれを栄養として使える。

生存率の他にも、さらなる品種改良を行って利益を改善する試みも行われている。群れの生産性を高めるには、最適なオスとメスを交配するのが基本だが、意外と羊農場では子羊の父親の正体はわかっていても母親の正体はわかっていないことが一般的だ。マードック大学のチームは、子羊の母親を簡単に見出す仕組みを、Bluetoothでつながった近接センサーで探り出そうとしている。母羊は首に発信機を、子羊がレシーバーをつけ、どの羊がどの子羊と最も時間を過ごしたかトラッキングするのだ。その結果、95%の正確さで母羊と子羊をマッチングすることができた。より早い成長や、より多くの羊毛生産など、農場が目指す目標に応じてより利益を出しやすい子羊の生産が望める。特に近年、ウールよりも羊肉のほうが手早く採算が取れるため、食肉向けに羊を育てることを優先する羊農家が増えている。母と子を結びつける技術は、望んだ通りの特徴を持つ子羊を得る一助となることが考えられる。

ウールの今後

スーツなど、かつて需要のあった市場の成長があてにならなくなった今、ポテンシャルがあるのが“next to skin knitwear”（肌に直接触るニットウェア）と呼ばれる商品群だ。ウールというと上着のイメージだが、next to skin の商品は直接肌に接する衣類のこと。ウールの強みである通気性や防臭性や水分を吸収し逃す性質を売りとして、ベッドシーツや、敏感肌の人向けの下着や、スポーツ用のベースレイヤー（下着）などに使われる。ただ直接肌に当たるので、チクチクするのは禁物だ。繊維が直径30マイクロメートル以上だとチクチクしてしまうので、18マイクロメートル以下の細いものを使う必要がある。これほど細いウールの95％はオーストラリアで生産されるので、オーストラリアにとっては優位に立てる好機だ。

こうした商品の販売を促進する上でネックになるのはやはり価格だ。ウールは人工繊維と比べて、生産コストが4－7倍かかる。ウール製品で採算を取るには人工繊維の製品よりも必然的に価格設定を高くする必要がある。そのため next to skin 商品も高級感を訴求する必要があり、今後良いターゲットとなりそうなのが今も増え続けるアジアの中流階級層だ。すでに、オーストラリアから輸出されるウールの7割以上は中国へ行っている。

新しい市場以外に、オーストラリアの業界団体や研究者はウールの新しい価値を啓蒙している。それはウールがエコである、ということだ。サステナビリティを考慮した製品は近年人気を集めるが、「ポリエステルなど合成繊維の衣類を着るということはすなわち、プラスチックを身につけている」というのが彼らのスタンスだ。ポリエステルはすぐに毛玉になってくずが出るので、洗濯するとプラスチック汚染の元となる。実際これは大きな問題で、世界の海に流れて行くマイクロプラスチックの35％は人工繊維を使った衣類が原因だ。

2019年に発表された研究では、こんな実験が行われた。海水の中でウールや人工繊維がどのように分解されるか調べたところ、ウールは3か月間で20－23%分解されたのに対して、人工繊維は最大でも1%までしか分解されなかった。自然に分解するウールがエコであるという点を訴求することもまた、環境意識の高い消費者には響くかもしれないと、ウールのリブランディングが行われている。

これからもきっと、ウールの活躍の場は変わってくる。何千年も昔からあったウールは、姿を変えて、我々の生活を豊かにしてくれるだろう。

コラム

羊のガードマン

コヨーテの牧場襲撃が問題になるアメリカでは、羊の群れを束ねるシープドッグだけではなく、捕食者から羊をはじめとする家畜を守るガードドッグが置かれることもある。ガードドッグは群れの動きを制御するシープドッグとは違い、群れに紛れて一緒に行動する。ガードドッグは、体が大きく、羊が狼と間違えて怖がらないような白い犬種が選ばれることが多い。家畜の群れを守る上で重要になるのは犬が家畜に対して感じる「きずな」で、幼い頃に特定の種類の家畜や品種に対して強いきずなを形成したガードドッグは、後年他の動物種や品種に対して同等のきずなを形成しないことが示唆されている。

weird research

Part4

日本にもある!
ヘンな研究

ソフトスキル的には、現代人も忍者になれる？

――忍者・忍術学（日本・三重）

忍者がまとめた忍術書のうち、有名なものに『万川集海《まんせんしゅうかい》』（１６７６年）がある。その中には、こんな趣旨の記述の数々がある。忍者は正しい心を持つべきで、正しい心とはすなわち、仁義忠信を守ることである、と。陰謀や騙すことは、忍者としてよろしくない姿であり、私欲のために忍術は使ってはならぬ、そんなのは盗人と同じだ、と。正しい心は忍者本人だけではなく、その妻子や親族もみな持つべきだ、と。そして平素柔和で、義理に厚く、欲が少なく、理学を好んで、行いが正しく、恩を忘れないことが忍びとして必要な要素だ、と。冷徹な騙し討ちのプロ、というより、清く正しい心とチーム精神を持った人が、忍者の理想像なのだ。

三重大学の国際忍者研究センター副センター長の山田雄司博士は、忍者は時に城の警備員として、時に戦闘員として、また別の時には情報を集めるスパイとして活躍してきたと語る。

「世界でのスパイというと、冷酷で感情もないイメージがあるかもしれませんが、忍者はまさに義理と人情の世界。命令を出す武将に忠誠心をもって働く。基本的に多くの人数で綿密に打ち合わせをして、チームで忍び込んだり情報収集をしたりすることが多いのです」

この他にも忍者の知られざる本当の姿を、国際忍者研究センターの研究者たちは次々と明らかにしてきた。例えば忍者のユニフォームである黒装束。本当の忍者に、ユニフォームなんてなかった。実は普段は農民の格好をしていて、情報収集する時になるとスパイのように、旅芸人や僧侶に扮していたのだ。黒装束の忍者が現れるのは18世紀初め頃の歌舞伎で、舞台の遠くから観劇していても忍者役が忍者だとわかりやすくするために、忍び装束が生まれた。手裏剣を使ったという史料もないため、後世に作られたフィクションだ。

そして女忍者のくノ一もいなかった。女性の武士がいなかったのと同じで、女性の忍者が現れるようになったのは昭和になってからだ。女性を使って情報を収集することは「くノ一の術」と呼ばれていたが、女性自身が忍者を生業にしていたわけではない。

他にも、忍者が携帯食として食べた兵糧丸《ひょうろうがん》の成分を分析して再現したり、忍者の呼吸法で呼気が1分間にも及ぶ「息長《おきなが》」の効果を脳科学者とタッグを組んで分析したり、スポーツ科学の専門家と組んで忍者が1日200キロもの長距離を歩くことができた秘訣を分析したりと、現代科学の力を使った研究も行っている。例えば忍者の歩行の研究では、一般的に歩くように後ろの足で蹴る歩き方と、着地する時に膝関節を緩める忍者特有の歩き方を比較し、筋肉の活動量と床からの反力を測定した。それによると、忍者の歩き方はもの筋肉の活動量は4倍近く増えるものの、より疲れやすいふくらはぎの活動はセーブできている上、ブレーキの少ない効率的な動き方をすることで疲労を軽減しながら長距離を速く歩くことができたとわかった。こうした研究をはじめ、現代人が参考にできそうな教えはたくさんありそうだ。

日本史研究から身を隠してきた忍者

三重大学で忍術学の研究が始まったのは2012年のこと。以来、2017年に国際忍者研究センターが設立され、大学院で忍者・忍術学の専門科目が設立されたのはその翌年だ。大学院の実習ではかつて忍者がそうしたように、伊賀山中で敵に見つかりにくい低い姿勢で歩き、草むらを這い、ロープで梯子を作り崖を登り降りし、といったように、木が生えていて、凸凹があって石も転がっている環境で忍者の動きを再現する様子がメディアでも取り上げられた。こうしたファンキーな面に着目されることが多く、海外メディアからは「ニンジャになれる専攻が日本のミエにある」と報道されてしまうこともあったが、実習の意義について山田さんはこう説明する。「忍術書を読んでいても、『口伝』（口で伝える）と書いてある部分が非常に多くて、忍者について読んだだけではわからないところがたくさんあると思うんです。6歳の頃から師匠につき、忍術を継承している方に教えてもらって、忍者の体の使い方を知ることは意義があると思います」

山田さんが忍者の研究を始めるまでは、ほとんど忍者の研究はされていなかった。そんな未開拓な学問に山田さんが足を踏み入れたのは、三重大学が地域文化に貢献していく方針を取り始めたからだ。一地方大学として生き延びていくためには、地域に密着した活動をしていくべきだという認識があったという。

「忍者という存在は世界で名前も知られていて、本もいろいろ出ていましたが、案外しっかりした研究がなされていませんでした。どこから得たのか根拠がしっかり明示されないまま、いろんな本が書かれていました。大学がやっていくからには、『ここにこんなエビデンスがあるからこのようなことが言える』、というのを一つ一つ明らかにしていき、忍者という、日本文化の根幹になるようなものを研究していこう、ということで忍者研究が始まることになりました」と山田さんは振り返る。

「2012年に研究を始めた当初は、忍者はあまり資料を残さないし研究ができるのかなと思っていました。ですが伊賀（三重県）には伊賀流忍者博物館があって、そこに忍術書がけっこう所蔵されていたんです。これまでは外部に一切見せていなかったそうですが、『三重大学が研究するなら全部見て研究に使ってください』と申し出てくれて、忍術書の写真を撮って解読するところから研究を始めました」

他言してはならなかった忍術

忍者の研究は、とにかく忍術書を読むことから始まる。

「大正時代くらいから忍者の研究がありますが、私たちが一番使っている良い資料の『万川集海』は大正時代にはまだ発見されていません。忍術書というのは、持っている人以外に誰にも見せてはいけないということが言われていて、大正くらいまでは、家で忍術書を持っていても教えがまだ守られていて、他の人には見せていなかったと思うんです」と山田さんは推測する。

昭和20年代に『万川集海』が世に出ると、忍者の研究が本格化していった。だがそこで書かれているものは、大衆ウケを狙った研究結果が多かった。「私たちは史実にのっとって『ここにこう書いているからこうだ』というような書き方をしますが、昔のものはどこに根拠があってそう書いてあるかわからない。それは時代による研究のスタンスの違いでしょう。私は足場を歴史学に置いているので、たとえ昔の文献に何かが書いてあったとしても、それが事実かどうかを他の資料から確認しないといけないと思っています。でも昔の人は、書いてあるから全てそれが正しいと捉えているようです」

例えば忍者の起源。昔の文献には「聖徳太子の頃から忍者はいた」と書かれていることが多いが、そのもととなっているのは江戸時代の忍術書に書かれていた情報だ。だがそれは、由緒を遡らせるために忍術書の中で「自分たちの起源は古代の有名な聖徳太子の忍びだ」と書かれたと考えられ、史実とは異なる。学問的立場から事実としてはっきりしているのは、南北朝時代に書かれた『太平記』という作品に忍びが出てくるため、南北朝時代から忍びが成立してきた、ということだ。だが昔の研究文献では、「江戸時代の忍術書に書いてあるから聖徳太子の時代からいた」という理由だけで受け入れられていた。

こうして忍術書からわかってきた内容のうち、忍者が非常食としてよく食べた兵糧丸の作り方や火の術など実験が行えそうなものは理系の教授陣と連携して、「本当に実験するとどうですか?」と持ちかけて再現してみる。兵糧丸の場合は、兵糧丸の成分を使ったクッキーの商品開発にもつながった。

自力救済の世界で生きる術

忍術書を読んで見えてくるのは、術そのもののノウハウだけではなく、忍者に求められる人柄や、ソフトスキルの知恵だ。「忍術書には、普段から多方面の人と知り合いになり、常日頃から連絡を取ることが重要だと書いてあります。そうすることで、いろんな情報を得て、いろんな見方や考え方を知ることができる。それは現代人にとっても重要なことではないでしょうか」と山田さん。「忍者が活躍した日本の中世というのは、まさに自力救済の世界なんです。例えば現代では裁判所に行くと公平な形で裁判官がいますが、当時は知り合いに賄賂を贈るなど、常日頃から仲良くしておくことでいろんなことを有利に運べる、という具合でした。困った時は知り合いがいるから助けてもらえるのであって、知り合いがいるからこそ社会が回っているという世界でした。忍者の世界もまさにそういうところがあります。現代人も、ネットの情報をはじめ情報がたくさん身の回りにありますが、本当はもっといろんなことを身の回りの人に相談しても良いのだろうし、ちょっと困ったことがあった時に一番親身になってくれるのは仲の良い人だと思うので、そのような人間関係を構築するというところを私は忍者から学びました」と山田さんは語る。

こうして全ての忍者研究の原点となる忍術書だが、意外と見つけるのは難しい。ほとんどは伊賀・甲賀（滋賀県）に残っていて、末裔の人が持っているというケースが基本だ、と山田さん。江戸時代になると多くの藩が忍者を抱えることになるが、そのような忍者も、大体は伊賀や甲賀の出身。そのため、見つかるのは結局伊賀・甲賀の忍術書がほとんど。

忍術書が滅多にないのは、元々忍術書というものが存在していて、それを読んで受け継がれていくものではなかったからだ。忍術書が完成したのは17世紀中頃になってからで、それ以前は兵法書の中に少しだけ忍術が書かれている程度。実戦がある時は、親から子へ身をもって教えるといった世界だったものの、17世紀中頃になると戦いがなくなって実戦から遠ざかっていった。能や歌舞伎で、所作は書いて覚えるのではなく、見て覚えていくものであるのと同じように、忍者の世界もそうだった——そしてそうした継承の機会がなくなっていったことで、書いて残すようになったのだろう、と山田さんは言う。

そこで有利に働いているのが、国際忍者研究センターが伊賀にあることだ。「伊賀だけあって、先祖が忍者の方が『家にこんなものがありますけれども……』と、資料を持ってきてくださったことは何度かあります」と山田さん。三重県の中でも津《つ》ではなく、忍者の聖地である伊賀に研究センターがあり、そこで研究が進められているということは絶大なＰＲ効果を生み出し、巡りめぐって研究にも役立っている。

忍術書は、まだあるはず

２０２２年現在、山田さんが取り組んでいるのは、アメリカの議会図書館に所蔵されている忍術書の解読。戦前は日本の陸軍の参謀本部にあった資料で、ＧＨＱが接収してアメリカに持っていった資料だ。こうして世界各地に忍術書があることも驚きだが、日本各地でもまだ忍術書が見つかるはずだと山田さんは考える。

「おそらくまだ日本国内に資料がたくさんあるはずです。それに加えて、いろんな藩の資料に忍者のことが書いてあるので、どうしてこれまで忍者に着目して研究がされてこなかったのだろう、という思いはあります。ですが昔は忍者というと、いい加減で怪しいというレッテルが貼られていたために研究がされてこなかった。あまり手がつけられていないから、自分たちが開拓していろんなことをやれるのは嬉しいですね」と山田さんは話す。

「日本各地でポツポツと見つかる資料を読み込んでいくと、内容が違うんです。地域独自のやり方があって、その差異を探していくのが面白いです。例えば、長野の松代藩に伝わっていた真田《さなだ》の忍者の忍術書を調査した時は、兵糧丸に蕎麦粉を入れて作っていたことがわかったんです。ああ、信州だからそうしているんだ、というのがわかって、そうした地域の独自性もですし、忍術だけではなく組織の編成の仕方も一律ではないので、地域独自のやり方を明らかにしていけたら面白いなと思っています」

忍術はただの怪しい行いではなく、一国の存亡に関わる重大任務だった。かつてそんな責任を負った忍者の研究は始まったばかりで、やるべきことは、まだまだたくさんある。何世紀も前に生きた忍者たちは、もっと私たちに教えてくれることがあるだろう。

日本人は、アニメから影響されずにいられない？

――アニメ研究（日本・神奈川）

やせぃの　ドラゴンボールおじさんが　あらわれた！

……と、海外の観光地へ行くと、毎回思っている気がする。ここで言うドラゴンボールおじさんとは、ドラゴンボールTシャツを着ているか、ドラゴンボール帽子を被っているか、超サイヤ人になった孫悟空のタトゥーを入れている人のことで、一人や二人は必ずすれ違う。

このように海外のファンがアニメに熱中してくれたことで、日本はアニメ文化の価値に気づき、研究も行うようになったと言える。

というのも、アニメや漫画は、20年少し前まではほとんど学術的に価値が見出されていなかった。転機が訪れたのはインターネットが普及し始めた90年代末頃。日本アニメーション学会会長で、横浜国立大学教授の須川亜紀子さんはこう説明する。「90年代末〜20

00年代初頭はクールジャパンの一つとして、海外でもアニメに熱中する人が出てきた頃です。日本は外圧に弱いのか、その流れの中で、学問としても価値があると思われるようになりました。貿易で利益を出す『経済大国日本』が斜陽になってきた時に、日本が勝てるものが文化コンテンツのソフトパワーだと認識されるようになったのです」

その人気の火付け役になったのがまさしく「ドラゴンボール」や、「ポケットモンスター」や、「美少女戦士セーラームーン」といったアニメだ。これらは海外で爆発的な人気を博した。その前の60年代には「鉄腕アトム」をはじめ、「鉄人28号」や、「マッハGoGoGo」もアメリカに入っていたものの、日本のものだと認識されずに放映されていた。90年代のアニメが成功したのは、アニメを見てもらうだけでなくグッズを買ってもらうことを狙ったマーチャンダイズ戦略がうまく運んだためでもあるということが、研究のおかげでわかっている。例えばポケモンはカードゲームのほうをまず楽しみ、プラスでアニメを見るという楽しみ方があった。それに加えてピカチュウのようにかわいいキャラクターのグッズを買う。90年代末はこうした多様な楽しみ方が戦略的に促進され始めた頃で、アニメにまつわるビジネスモデルが変わっていった結果、世界中の人たちがアニメを楽しむようになった。さらに同時期に、以前であれば日本だけに閉鎖されていたコンテンツがインターネット（特にストリーミングサイト）を通じて伝播して、世界中の人がほぼ同時に同じようなコンテンツを見られるようになった。

オタクがクールな時代

日本アニメーション学会が立ち上げられた1998年以前では、アニメは映画学や映像学の括りの中で、ポツポツと研究が行われていた。特に関心が集まっていたのは、子供に対するアニメの悪影響、などといったトピックだ。その後、アニメーションを専門とした学術団体が映像学の中から分化していった。アニメーション分野が独立した最初の頃はイラストを動かすという意味での「アニメーション」で、アニメーションをどう動かせば動きがスムーズに見えるか、それが人間の目とどう関連しているかなどが主に研究されていた。

いわゆるテレビで見る商業アニメが研究対象になったのはもう少し後のこと。研究を後押しした海外からの人気も商業アニメが中心だったが、商業アニメの研究に移行し始めたのは2000年代に入ってからだ。

「80年代は、宮崎勤事件で象徴されるように、アニメファンの男性はちょっと危ない、犯罪者予備軍、という風にオタクが見られていた時代でした。90年代や2000年代になると、普通に漫画やアニメが楽しまれるようになり、オタクに対する偏見がなくなったとは言いませんが、『電車男』のヒットを機に『オタク』が広義的に捉えられるようになり、普通に『アニメが好きだ』と言える社会になりました。アニメや漫画が普通に認知されている時代に育った人たちが研究を始めたことで、今も研究者が徐々に増えています。

海外の人気もあると、『どうしてアニメは人気なんだろう』といった素朴な疑問がマスコミの報道の中で浮かび上がったり、何かがヒットすると『それはどうディズニーと違うんですか』といった質問も飛んでくるようになりました。そのようなことに対する理解を深めるためにも学問体系として、アニメを研究対象として見るという重要性が出てきました」と須川さんは言う。

昔よりもはるかに多様化したアニメ研究は、大きな括りではアニメの表現や業界の歴史、ストーリーの伝え方、アニメの芸術性、ジェンダーの表現、見る人の属性や受け取り方、音の使い方などが挙げられる。

例えばアニメの表現。怒った時に使うプンプン印は、いつどこからどういう理由で現れたのか。これは日本のアニメや漫画特有で、アメコミには出てこない。アニメを見慣れていない人からすれば、どうして「くの字」が4つ連ねられているのか、という謎の印になってしまい、登場人物が怒っているとは理解し難い。

別の例で、音の使い方。音は「音声」「音楽」「効果音」が使われるが、中でも声優の役割はどうだろうか。日本では全く違和感がなく、女性の声優が少年を演じることが受け入れられているが、これは世界一律ではない。ポケモンの初代主人公サトシは、海外では〝Ａｓｈ《アッシュ》〟という名前が代わりに使われ、Ａｓｈはヒンディー語やフランス語やスペイン語圏では男性の声優が演じている。実際聞いてみると、日本語版に慣れ親しんだ身からすると、相当の衝撃を受ける。日本でも最初から女性の声優が少年を演じていたわけではなく、戦後のラジオドラマのキャスティングの都合がまず最初のきっかけだったことがわかっている。

さらに別の例では、アニメから派生した2・5次元文化の研究も挙げられる。2・5次元文化とは、2次元の虚構と3次元の現実の間を往還する文化のことを言い、「テニスの王子様」に代表されるアニメ原作ミュージカルや、コスプレや、聖地巡礼が挙げられる。

2Dや3Dのアバターを使って、中の人が配信を行うVチューバーも2・5次元の存在である。最近では人気のあまり、公的機関がご当地Vチューバーを使ってPR活動を行うこともあるが、アニメ表現特有の「巨乳」「ミニスカ」「セーラー服」といった少女キャラがセクハラ的だと物議を醸すことがある。そんな場合、中に人がいるVチューバーだからこそ、着る服を替えるなど人間と同じようにTPOを考えてふるまうことで建設的なコラボができるのではないかと、須川さんは提言している。

アニメ研究は、自分自身の探究

須川さんがアニメに着目したのは、ある種、自分自身の探究でもあった。

「自分がなぜこういう人間に形づくられたんだろう、という疑問があって、子供の頃から見ていたアニメに着目したんです。自分に強く提示されていた『女の子らしさ』や『男の子らしさ』というのが、テレビアニメをはじめとしたメディア環境とどう関係しているのかな、と。

やはり子供の頃から見る作品や、作品に関連したおもちゃなどでジェンダーは深く関わってきていたんですよね。例えば幼稚園の時に仮面ライダーを見ていると、女なのに仮面ライダー見てんのか、といった無邪気な反応があったり。そうして自分のジェンダーアイデンティティを認識させられることは、話してみるとけっこういろんな人が経験していることであって、特に男の子よりは女の子のほうが、自分が制限されていると捉えていたようです。女なのに赤くない色のランドセルはおかしい、というような」

情報収集のために各クールの新作アニメの第1話はほぼ必ず全て見ている須川さんだが、以前のようなあからさまなステレオタイプを含むものや、差別を生むような表現は避けられるようになったと言う。

「多様性を尊重するような教育を受けてきた人が業界に流入してきたというのもありますが、SNSの発達で、何かあるとすぐに叩かれるというのもあって。昔ながらの差別的な表現をしている作品はすぐに叩かれて興行的に失敗するので、表現については本当に積極的に配慮がされているものが多くなってきています。特に海外に売っていく戦略をとる人たちは、その国の表現コードに引っかからないような表現に落ち着くと思います。

少女が主人公のもののうち人気なものでは、プリキュアシリーズがセーラームーンのように戦闘美少女路線をとり、強くてなおかつかわいいことが非常にウケている。化粧やドレスアップをして戦うことは、エンパワメントの手段としてメッセージが打ち出されています。

少年が主人公の作品は、昔ながらの男性性を前面に出すというより、「鬼滅の刃」の炭治郎のように優しさや、他人への配慮など、いわゆる「コミュ力」といった能力を持っている。力は強くなくても、人を惹きつけるような魅力。いろんなジェンダーの表現がやっと追いついてきたようだと思います」と須川さん。

一方で極端な表現をする暴力的な作品もあるが、「かといって、みんながみんな、自主規制のようなものに縛られすぎては、表現は縮こまってしまうでしょう。バラエティに富んだ作品や傾向が見られるのが、アニメの世界とも言えますね」と須川さんは言う。

好きなことで食べていけるか

外国人留学生を増やすことが政策として掲げられたり、少子化問題も深刻化していく中、若者に対して魅力的な学問ということでアニメや漫画は注目を浴びるようになった。「アニメや漫画の講座があるというだけで受験者数が増えたりするんです。大学全入時代の到来がすぐそこまで来ている、という事実を背景に2010年代くらいから各大学で設置されるようになっていきました」と須川さんは言う。

須川さんのもとには、いろんな興味を持った学生が集まる。大学院生たちが研究するテーマは多種多様で、声優研究もあればオタク研究もあり、萌《も》え研究もある。こうした学生はアニメが好きで研究したがるわけだが、須川さんは好きなことを研究するのは難しいと学生に忠告している。というのも須川さん自身、幼い頃からアニメが好きで、「サイボーグ009」の島村ジョーに沼ったこともあった。

「でも私は多分、あまり物事にのめり込まない性格なので、オタクになりきれなかったんだと思うんです。その距離感があるので、研究ができるのではないかと思います。のめり込みすぎるとどうしても視野が狭くなるので、批判的な視点を持ちにくくなるんです」と須川さん。

　好きすぎて、研究をやっていると嫌になる場合もある。ディズニーが大好きで、ディズニーの研究をしたいと言ってくる学生もいるが、同時にディズニーには黒歴史もある。知ってしまった以上好きではなくなってしまったり、研究をしないといけないからとの理由でのめり込めなくなってしまって、研究を辞めてしまった学生もいた。

「だから私は、自分がすごくのめり込んでいるものは研究できないと思いますね。あまりのめり込むことのない私ですが、この頃推《お》しができて。その人が出ているドラマや映画をすごく好んで見るようになって、『この人の演技はすごく素晴らしいな』と思ったりしますが、その人を研究対象にはしたくないんです。学生には、楽しむだけなら研究しないほうがいいよ、と言っていますが、研究したらしただけ、見えなかった魅力もわかってくるので、そこのバランスですよね」

ファンダム研究の可能性

今、須川さんが注力しているのが、２・５次元舞台のファンの研究だ。

２・５次元舞台の俳優を推すということは、一般の３次元のアイドルとは少しワケが違う。２・５次元俳優は、オーディション段階から演じるキャラクターの素質、いわゆる「種」があるかを重視され、演じるキャラクターがかぶるからこそ好かれる。それが故に、スキャンダルが起きて演じているキャラクターとのギャップが垣間見えると、ファンが一気にアンチに変わったりする。

「興味深いことに、素《す》の俳優さんには興味を持たないのに、キャラクターを演じるからこそ、つまり虚構のイメージが挟まるからこそ俳優さんに嗜好を見出すわけですよね。人間だとそうでもないのに、虚構だといいっていう。そこがすごく面白いと思って注目しています」と須川さん。

今は文化的な事象として２・５次元舞台のファンダムを研究しているが、これは他の場面にも通じるものがあり、最終的には社会応用までつなげられれば理想的だと話す。

「虚構の存在である人工知能のロボットには素直に喋れるけど、電話の相談員には喋れないと聞くことがありますが、『この差は何だ⁉』と思います。テクノロジーの発達によって人間と機械の関係性はすごく変わってきていて、人間じゃないほうに親近性を持ってしまうような虚構のあり方は、とても面白い領域だと思うんです。

人工知能は、限りなく人間に近づいています。人間でないものに対する情動がどのように付加されていき、どのように人間同士のような関係になっていくのか。今は研究がまだまだ足りないので娯楽としての2・5次元文化を研究していますが、2・5次元の空間が人間の生活にどう影響しているかを解明し、現実（3次元）と虚構（2次元）の間を往還する2・5次元だからこそ可能である心地よい空間を応用できると理想的だと思っています。悩み相談や、児童虐待など家庭の問題や、進路の悩みなど、デジタル時代の若者が抱える悩みに寄り添えるようなガジェットを作ったりして、解決方法を見出せるところまで追求できれば一番良いですね」

富士山は、よくわからない10歳児

——富士山研究（日本・山梨）

小学校低学年の頃の記憶に、こんなものがある。

あれはアメリカに引っ越す時に乗った飛行機だっただろうか。あるタイミングでこんなアナウンスがかかった覚えがある。

「お客さま、当機左手に見えますのが、富士山でございます」

すると大人たちはざわざわし始め、移動する人も現れて、デジカメのカシャカシャする音が聞こえた。

富士山が見えるというだけで興奮したことや、周りの人がはしゃぐのを目の当たりにするというのは、多くの日本人が経験してきたことではなかろうか。その魅力は海外の人も引き寄せ、今やインバウンド観光の広告物づくりに富士山の画像は欠かせない。

富士山は、見る人だけではなく、学術界も魅了してきたようだ。周辺地域の地形や生態系や環境汚染、経済や観光、そして富士山信仰など、富士のテーマで幅広い分野の研究が進められている。そして富士山の名のもとに様々な分野の学者が集まり形成された富士学会は、20年以上続いてきた。

高所だからこその研究

富士山は、「日本一高い場所である」という利点を活かした研究機会も与えてくれる。

富士山頂ではかつて、気象庁が測候所を運営していた。高山地帯での気象や台風の予報、そして富士山に登る人の人命保護に役立つ、という考えのもと、1932年から気象観測が始まった。1964年には台風の観測のために富士山レーダーが設置された。富士山は日本で一番標高が高いことに加え、周りに山もないため、レーダーの視野を最大限にすることができたから最適の場所だったのだ。職員が冬の間の通勤や登山・下山に使った手すりや避難小屋は、今でも残っている。

ところが衛星の技術が発達したり、他のレーダーが設置されたことから富士山でのレーダー観測は不要になった。さらに他の観測機器も自動の観測装置に置き換わったり、メンテナンスが大変で継続利用しないことになったため、2004年に無人化された。

富士山最高峰剣ヶ峰と、富士山レーダードームが撤去された富士山測候所
（Photo by Bergmann）

それでも観測施設があることには意義があると、2005年からNPO法人が運営を続けている。毎年研究プロジェクトを公募で募り、採択された研究プロジェクトの研究者が旧測候所に滞在し、研究を行うことができる。研究に重い機器が必要な時は、ブルドーザーで山頂まで運ぶことができる。長年行われてきたのは、雷の観測や高所医学の研究だ。まず雷の研究では、富士山頂は地上よりも間近で雷を観測できるため、またとない観測場所なのだ。例えば、雷雲や落雷から発生する放射線の発生メカニズム。夏の雷雲からは、放射線の原因になる電気の量を推定しやすいが、下界まで放射線は届かない。富士山であれば1キロ以内の落雷がたくさんあり、データを

得やすいのだ。しかも山頂では雷を見下ろすこともあるし、必ずしも雷は落ちてくるものだけではなく、昇ってくる雷も珍しくない。高所医学の場合、急性高山病の病態の解明や予防と治療、そして高所順応とその評価などが行われてきた。海外の高い山を登る多くの人にとって、標高4000メートルは高所順応の第一関門となるが、一番近しい状況を提供するのが富士山頂だ。高峰登山を控えてトレーニングにくる人に研究に協力してもらいながら、今後のより安全な登山に役立つ研究が進められている。

謎多き山

馴染み深い存在の富士山でも、富士山そのものや周辺の生態系についてはまだわかっていないことが山ほどある。まずはじめに、噴火の癖。火山は、マグマがある場所とその周りの環境が違うと噴火の形態が変わるため、噴火の癖を知るためには個々の噴火を見ていかなければならない。だが富士山は近代観測が始まってから全く噴火しておらず、手がかりがほぼない状態だ。

山梨県富士山科学研究所の主幹研究員である吉本充宏博士は、こう話す。

「人間と同じように、火山にも幼少期・少年期・青年期といったものがあり、我々地質学者が地層を見て、過去の噴火の履歴を理解することで、過去のどの時期にあったかを推定することはできます。ですが火山が今どの時期にあるのかというのは、実はすごく大変なことなんです。数万年後の人間が今を見返した時にやっとわかるのだと思います。桜島のようにしょっちゅう噴火している火山であれば、データを回収して地下の動きを推測することができて、まだ今の状態を把握しやすいほうですが、富士山は今、300年間くらい噴火してない状態が続いている。それまでは活発に活動していたのですが、この300年が何を意味するのかは誰もわからないんです」

早く訪れた成長期

富士山は、日本の火山の中でもちょっと変わった存在だ。やけに早く成長してきたのだ。多くの火山は数十万年ほど活動するが、富士山は、10万年という短期間のうちに標高3776メートルにまで及ぶようになった。人間に譬《たと》えるなら、2メートルを超えた10歳児のようなものだ。

「急成長した理由は定かではありませんが、富士山が位置する場所が関係しているのではないかと考えられています。日本には北米プレート、ユーラシアプレート、フィリピン海プレート、の3つがありますが、ちょうど富士山のところで接合しているんです。フィリピン海プレートがユーラシアプレートに沈み込んでいて、その横に北米プレートがあり、さらにその下に太平洋プレートが沈み込んでいるという、非常に複雑なところに位置しているんです。プレートの複雑な相互作用がある場所には大きな火山がある場合が多いです。とはいえ、その理由もわかっていないのですが」と吉本さんは言う。

吉本さんが勤める山梨県富士山科学研究所は山梨県が持っている富士山専用の研究施設で、吉本さんが遂行するような火山研究に加えて、富士山の自然環境保全につながる研究や、富士山と周辺地域に生きる人のより良い共生の仕方を研究している。例えば富士山麓では、全国的にも珍しい豆桜など、富士山ならではの植物が生い茂っている。だが世界遺産への登録以来、登山客の増加に伴って、衣服や車に付着して植物の種が持ち込まれ、本来富士山のような高山帯では生えない外来植物の分布が広がっている。また、国の特別天然記念物に指定されているニホンカモシカなど、珍しい動物も生きている。まだこうした動物の生態系はわかっていないことばかりで、つい最近になって、全国的にも個体数が増加傾向にあるシカと減少傾向にあるカモシカが食べ物の取り合いをしていることがわかったばかりだ。今後カモシカにとって生きやすい環境を保つためにも、研究が必要である。

防災計画の改定につながる研究

山梨県富士山科学研究所が近年、特に力を入れている分野の一つは防災研究だ。

富士山は、いつ噴火してもおかしくない。噴火した時に備えて、吉本さんをはじめ山梨県富士山科学研究所の防災チームは、県と足並みを揃えて防災プランを作ってきた。2022年の3月には、被害が及ぶ可能性のある地域を記したハザードマップを17年ぶりに改訂した。富士山は山頂だけではなく様々なポイントから噴火する可能性があるため、噴火場所や程度を加味する必要がある。

吉本さんの感触として、富士山の周辺地域に住む人は、噴火がいつか起こるかもしれないという認識は以前からあった。だが被害の度合いについて様々な憶測が飛び交っていた。

「私が研究所に着任した2014年頃は、話を聞く限り富士山が噴火したらみんな死んでしまうと思っている人がほとんどでした。オンラインで実施したアンケートでも、日本全体やアジア全体が壊滅的な被害を被ると思っている人が一定数いました」

新しいハザードマップを作るには、現存する70か所以上の火口から、新たに火口ができると想定される範囲を示し、それぞれが大・中・小規模の範囲で噴火した時に起こる溶岩の流れのパターンに関して、250通り以上のシミュレーションを行った。その結果、市街地へより短時間で到達することが示され、さらに影響範囲が拡大することが示された。

そして新しいハザードマップをもとに、富士山火山広域避難計画検討委員会が、従来の避難計画に従って避難した場合の状況をシミュレーションしたところ、あまりに多数の人が一斉に逃げるため深刻な渋滞が起こることがわかった。一方で、市街地に到達した溶岩流は歩くスピードよりも遅いため、普通の人ならば徒歩で命を守れる場所まで避難し、その後から別の手段で移動するほうが早く避難できる。結果、原則徒歩で避難するように計画が切り替わった。渋滞から抜けられず逃げ遅れるよりも歩いたほうが確実なのと、高齢者や歩行困難の人が優先的に道路を使えるようにできるという利点がある。

知識と反射、どっちが大事?

噴火によって文明が滅びることに怯える必要はないものの、都市機能が麻痺する可能性はある。噴火によって上がるかもしれない火山灰は溶けない雪のようなもので、噴火後じわじわと積もり続ける。雪が降った時と同じように交通機能は混乱し、物流が止まってしまう恐れがある。また火山灰はガラス質でできているため雪より3倍重く、数十センチ積もらせてしまうと木造家屋は倒壊する可能性が出てくる。そして雨が降れば流れ出て、下水管も詰まってしまう恐れがある。火山灰が、浄水施設や取水している河川に降り注いだ場合、水質が悪化し、水不足になりかねない。1週間分の飲み水の備蓄は必要だ。

とはいえ富士山の場合はマグマが上昇してきて噴火を起こすので、水蒸気噴火した御嶽《おんたけ》山《さん》や、草津白根山など、数分前にしか噴火の兆候が出ないものとは性質が違う。噴火の予測がある程度できるのと、予測から噴火までは少なくとも1－2時間はあると思われており、溶岩の流れが想定できてから逃げるのでも遅くはない。場所によっては溶岩流が到達するのは噴火から1週間かかるため、そのような地域に住む人は雪下ろしならぬ灰下ろしをする猶予もある。

そこでポイントとなるのが知識に裏付けられた避難だ。今まで日本での災害教育では、地震で揺れたら机の下にもぐる、火事があったら家から出るなど、反射的な回避行動を刷り込んできた。ところがそうすると、反射が仇《あだ》になることもある。

「ある小学校でブラインド方式（予測なし）で地震訓練をやった時、『地震が来ました』と放送が流れると、校庭にいた児童も、校庭のほうが安全なのに、わざわざ教室に戻って机の下に隠れたりしたんです。これでは覚えた反射に意義も何もないですよね。当然研究者の中には反射的に逃げれば良いと言われる方もいらっしゃいます。それが必要な時も当然あって、一刻を争う津波や土砂災害の場合はそうだと思うんです。ですが雨災害や火山災害など、考える時間の余裕が若干あるものは反射だけでは不十分だと思います」と吉本さんは言う。

知識を持っていても心理状態で逃げない人もきっと出てくる。そんな人たちを逃げる気にさせるような、率先して適切に逃げる人を育成するために、吉本さんたちは避難行動を促す教育教材を作っている最中だ。これは、理科の学習過程の中に組み込まれながら行われていく。

「仮に100年後にしか起こらないのであれば、仕組みだけに力を入れるよりも、子供たちの教育の中に取り込んで、その子供たちがやがて大人になって、大人になったら子供を作って親になって、そしたらその子供たちがまた聞いて、という知識のサイクルを作って、100年後に災害に強い世の中を作ろうという心意気です。災害には親も子もなくて、知っているほうが強く、知らないほうが弱い。だから子供たちに語りかける時は、『君たちが知識を持っているんだから君たちが地域のリーダーにならないといけない』とよく伝えています」と吉本さんは語った。

富士山の教え

災害教育や火山教育のノウハウは、国際協力機構（JICA）の草の根事業の中でも活用されている。近年活動を行っているのは、インドネシア・バリ島北東部のアグン山という火山の周辺地域。2017年11月に噴火があり、多くの人が避難することになった。

「実はここは1963年に噴火をしていて、その時にたくさん人が亡くなった怖い思い出が人々の中に残っているのです。そのためか、バリ州の推定で7万人避難すれば十分だとされていたところ、蓋を開けてみたら14万人もが避難しました。すると路地が大変で混乱が起きてしまった。そこで逃げすぎないということに関しても教育が必要だという結論に至り、バリの大学の先生方と、カランガセム県の防災部局の方たちと一緒になって防災教育の体制を作るプログラムを進めています」

その前にはジャワ島中央部にあるムラピ山周辺地域で教育プログラムを実施した。ムラピ山は2010年に噴火したが、その時は避難しなかったことで犠牲になった人が一定数いた。

「山の近くに幾つかの集落があって、村単位に精神的な長老のような人がいるんです。そのような人が避難しないとその地域はみんな避難しなくなってしまうんです。そこである村は火砕流に飲み込まれてしまって、ほぼ壊滅した。やはり科学的な観測というものをちゃんと信じて逃げてもらわないと助けられないということで教育プログラムに取り組んできたのですが、そうしているうちに起こったのが、アグン山が噴火した時の逃げすぎ問題です。逃げるというのは適切に逃げる、ということで、科学教育をもとにして、逃げられるような体制が必要だと改めて感じました」と吉本さんは語った。

観光資源であり、芸術のインスピレーションであり、被害のもと。いろんな顔を持つ火山とうまく共存するには、知識がとにかく不可欠なのだ。

いい湯だな。研究しよう

――温泉研究（日本・大分）

サルも温泉に浸かる国、日本。

そんな我が国では、しばしば温泉地ナンバー1競争が起こる。ナンバー1の定義の仕方は何通りもあるが、湧出量で言えば間違いなく別府だ。別府市の源泉数は世界一で、狭い地域の中に源泉が2200か所もある。そして温泉の湧出量は、世界で2位、日本ではナンバー1だ（ちなみに湧出量1位はアメリカのイエローストーン国立公園だが、とても浸かるような類いの温泉ではない）。そんな別府には、温泉にまつわるありとあらゆる研究者が集まる。京都大学の理学部も別府に地球熱学研究施設を持っているし、地元の別府大学も、温泉研究が行われていることや構内に足湯があることを前面に押し出して広報活動を進めている。

温泉の「保護と適正利用」を図り、「公共の福祉の増進に寄与すること」を目的に温泉法が公布されたのは、1948年のこと。温泉法公布を受け、温泉の新規採掘の可否など、温泉にまつわる行政を審議する温泉審議会が各都道府県で設置されることになった。温泉の成分や禁忌症の掲示が義務付けられたのも、温泉法によるものだ。諸々判断するためには科学的根拠が必要ということで、大分県は翌年の1949年に大分県温泉調査研究会を設置した。以来70年以上にわたり途切れることなく、地質学、地球物理学、地球化学、医学、工学、人文社会科学、観光学の調査報告が毎年共有されている。近年では、温泉の成分と匂いの関係、別府や周辺地域の地下構造、新しく開発した簡易ガス分析の方法などが報告されている。

医学面では、九州大学病院別府病院の前田豊樹先生を中心に、慢性疾患と温泉入浴の関係性について報告がされてきた。九州大学病院別府病院は、元は温泉を研究するために設立された。1931年に、九州帝国大学で温泉療法を研究するための「温泉治療学研究所」として設立された後、時代の流れの中で役割や名前を変えていき、今は九州大学医学部・歯学部附属の大学病院となった。温泉治療学研究所時代に引かれた館内の温泉では、温泉療法や小規模な調査が行われているのだ。

病院内に湯あり

元々免疫の基礎研究を行っていた前田さんが温泉に関わり始めたのは、別府病院の療養病床の責任者になったことがきっかけだ。２０００年代初頭に、急性期に病院での治療を受け終えた要介護の患者が中長期にかけて回復することを趣旨とした療養病床が全国各地で設けられるようになり、別府病院も例外ではなかった。

療養病床を設けるには、二つの条件があった。一つは、他の病床のように病室で食事を取るのではなく、病棟の同じ階に食堂が設けてあること。もう一つは、同じ階に浴室があるということだ。介護装置付きの浴室が同じ病棟にあると、寝たきりの患者でもベッドごと沈めてお湯に入れることができ、そのまま看護師の方が体を洗うことができるというメリットがある。

別府の場合、風呂は自分でお湯を沸かすよりも、温泉を引いたほうが早い。それで別府病院にも温泉が引いてあり、元が温泉治療学研究所だったため、いろんな特殊浴も引いてあった。その中の一つが、泥が溶けている泥湯だ。温泉水が出る地下の場所に温泉泥が出る泉源もあり、その泥を使用するのだ。泥湯に浸かることは鉱泥浴と呼ばれ、別府では地獄巡りの一つである鬼石《おにいし》坊主《ぼうず》地獄の「鉱泥」も有名だ。

「患者さんの中には『療養病棟で泥湯に入ると痛みが引く』と言っていた方がいましたが、後からその方が線維筋痛症であることがわかったんです」と前田さん。この疾患は200万人、つまり60人に一人という高頻度にもかかわらずあまり知られておらず、検査異常もないのに体中が痛んで困るという原因不明の疾患だ。一般的な痛み止めは、効かない。線維筋痛症になった人は、様々な感覚を痛みとして受け取ったり、何もない感覚をしびれとして受け取ったり、感覚麻痺が起こったような症状になったり、勝手に体が震えて痙攣が起こったりと、非常に厄介な症状に悩まされる。

九州大学病院別府病院の鉱泥浴槽（写真提供：九州大学）

「痛みを感じるから内科やペインクリニックに行ったり、あるいは体が震えるから神経内科に行っても何の異常が出ないから患者さんは『別の科で診てもらってください』と病院をたらい回しにされます。そこで、原因不明の痛みで診察を受けに来る人の中に、実は線維筋痛症の方が他にもいるのではないかなと思い、そういう方を見つけては「泥湯」を使ってみませんか、と誘い始めました。すると口コミで広がり、遠くは北海道から、近くは九州各地から、他にも原因不明の痛みを持つ方が来るようになったのですが、調べてみるとけっこう線維筋痛症の方が多いんです。薬を飲みながら、あるいはもう薬を諦めて疼痛を我慢するような方々が来られます。

数週間入院しては長い方では1・5か月ほどで痛みが軽減するので退院し、しばらくするとまた痛みが悪化するのですが、何回か繰り返すとだんだん良くなって入院しなくても半年に一度、1年に一度、2年に一度、最終的には治らなかったとしても病院に行くほどではないというところまで回復するので、この病気で難渋している方の療養には使えるのではないかと思います」と前田さんは言う。泥湯に浸かる鉱泥浴療法は温泉療法医から処方を出されてから行い、前田さんはそのような患者の深部体温上昇や痛みの変化について分析を続けている。

「こうした難治性疼痛や慢性的な病気を抱えている人には、まず痛みを取り、ストレスを取る、という意味では役に立っているのではないかと考えています」と前田さんは言う。

江戸時代ではあるまいし

温泉治療学研究所時代から温泉が引いてあった別府病院だが、こうして病院内の温泉が再び治療に使われるようになったのは療養病床が設けられてからのこと。温泉治療学研究所は1982年になると組織改変を経て、治しにくい病気の研究を進める九州大学生体防御医学研究所の一部と化し、温泉療法に関する取り組みは下火になった。

「生体防御医学研究所時代も、ずっとリハビリで痛みを緩和するのに効くということで使い続けられたみたいですが、関節リウマチ、腰痛、変形性腰椎症など他の痛みには他の治療方法が確立していたので、今更温泉を使った治療を促進しよう、というかんじではなかったようです。温泉治療学研究所が設立された90年前は痛みの治療に手術がまだ行われていなかったので、温泉や湯治、という話になりますが、他の治療が台頭してくると患者さんも『薬で治せるなら早くなんとかしてください』となりますよね」と前田さん。

少しばかりでも使われ続けたから前田さんの研究につながったものの、ニーズが低い状態がずっと続いた。使われなければ、研究も進まない。医療の進歩を受けて、温泉に求められる役割が変わっていったのだ。

「やっている自分が言いたくはないけれども、研究界でも今更湯治でもなかろう、という雰囲気を感じます。もう江戸時代じゃないんだから、と。日本人がノーベル賞をとって、iPS細胞や、ロボット工学や、遺伝子工学を使った医療が開発されている時代に、どうして今更温泉で治療しないといけないのか、という時代遅れ感があるのかもしれません。それに加えて、医療の先端を行くアメリカに温泉治療はない。アメリカに追いつけ追い越せで研究を進めている時に、誰も温泉医学でアメリカを追い抜こう、とはならないですよね。そもそもやっていないものを追い抜きようがない。逆にやっていないのであれば、日本独自のものとして進めていって広めていく方法もアリですが、アメリカで進んでいない分野で研究をしても評価されないという意識があるのか、日本だからこその治療方法の研究はあまり盛り上がってこなかったと思います」

温泉は、身近すぎ？

逆に、温泉を持つ諸外国では、もう少し温泉治療の意義が認識されている。ドイツ、オーストリア、フランス、チェコ、ポーランドなど温泉が出るヨーロッパの国々では、温泉療法が健康保険や社会保険適用となるのだ。また、別府市と姉妹都市のニュージーランド・ロトルア市では、別府病院で行われているように、線維筋痛症の温泉治療が行われている。「もしかしたら日本人は温泉に親しみすぎたのかもしれません。普段から入っている温泉が、ある日突然医学治療扱いになり、治療費を払え、と言われても誰も払いたがらないでしょう。ヨーロッパの場合、入浴すること自体が文化的に非日常のことなので、『特殊な成分の入ったお湯に浸かることで病気が良くなります』と言われれば抵抗なく処方箋をもらいに行くのでしょう」と前田さんは推測する。

日本で温泉療法がそれほど広まっていないもう一つの理由として、前田さんは温泉の成分の違いを挙げる。「温泉は環境省によって10種類の泉質に分類されていますが、草津と別府など温泉地間で成分は違いますし、同じ温泉地でも各温泉によって成分は違います。薬の場合成分が少し違っただけで、厚生労働省では許可するか許可しないかと激しい議論が起こりますが、温泉だって全部違うのに『どの泉質でも治療に使えるようにしてください』とはお願いできません。科学的な論拠を示す時に条件が揃わないことや、温泉は文化的にも難しい面がたくさんあって、正式に治療と認めにくいんです。よほど『線維筋痛症に効きます』とか、具体的な疾患にクローズアップがされてくるとその疾患限定で温泉治療が見直される可能性はありますが、今のところ全般的に広がっていくようなかんじではないようだ、と見ています」と前田さんは言う。

具体的な疾患への効果を突き止めるには研究が不可欠だが、医学的に効果を示そうとしても、薬剤治療研究で行われるように、偽薬と比較するような研究があまりできないため信用度が高い結果を得るのが難しい。「研究レベルで温泉の効果を見る時には、比較対象が必要になります。温泉と、温泉そっくりだけど実はただのお湯という設定を作れば良いのでしょうが、そのために温泉をボーリングして、似たような浴室を作って水道水を沸かす、というのは非常に大掛かりになります。既存の施設を使う手もありますが、温泉施設に対して『お客さんごとに水道水と温泉、どちらかだけに入ってもらってください』とお願いするのは難しいです」と前田さんは言う。

温泉への自負

比較研究は難しいとしても、別府の人の温泉に対する自負は、追い風となり得る。それが顕著だったのは、前田さんが温泉の疫学調査を行った時。2012−2014年に、別府市に住む高齢者2万人を対象にアンケートで、温泉に入る頻度や、持病の状況などを調べた。そうすることで、温泉入浴と疾患の相関関係を明らかにしようとしたのだ。

「普通のアンケートは配ると回収率3割くらいらしいですが、その時はその2倍の6割近く（55・7％）を回収でき、1万1146通を使って分析することができました。温泉のことになると、『これは何とか貢献しないと』という意識があるのかな、と感じました」と前田さんは話す。

温泉都市だけあって、75％の人は少なくとも週に1回は温泉に入り、半数は毎日入っていた。「逆に結果を見て意外だったのが、25％もの方が月に一度も温泉に入らないことでした。研究的には比較対象として使えるのでありがたいことですが、温泉都市なのでほとんどの方が日常的に温泉に入っているだろうと思っていたので驚きでした」と前田さん。

分析を進めたところ明らかになったことは、結果が性別によって分かれていることだ。男性の場合は、日常的に温泉に入る人のほうが心血管疾患を持つ可能性が低かったのに対し、女性は日常的に入る人のほうが高血圧である可能性が低かった。そしてここでわかったのは病気の予防効果の可能性だけではない。女性の場合、日常的に温泉に入る人のほうが膠原病を持つことが多いことがわかった。その結果、前田さんをはじめとする研究チームは、「温泉は必ずしも全ての疾患の予防に働くわけではなく、一部促進する場合もあり得る」

と結論づけた。

「温泉は、どの年代でも使い方を間違えれば危険です。温泉を治療という立場から見ればこれは当然のことで、薬剤治療と同じく、使い方を間違えれば、副作用が出ます。最たる例は、温泉に限らず入浴関連での死亡事故です。日本国内では湯ぶねで溺れたり、長湯で熱中症になったりなどで年間2万人近くの死者が出ており、無論、温泉利用者も含まれます。お湯に浸からずシャワーだけの文化の国民にはこのような危険はありませんので、温泉を含めお風呂は安全だなどとは夢にも思わないことです」と前田さんは呼びかける。こうしたことを突き止めていくためにも、研究結果をためていくことは不可欠だ。

別府だけではなく、日本中の温泉地では時代に合わせた新しい価値が模索されている。温泉地には、温泉以外にも自然や歴史や文化や食事などストレス発散につながりそうな要素はたくさんあり、環境省も、メンタルヘルス目的の新たな温泉地滞在を提案する「新・湯治」を推進している。研究が進めば進むほど、湯治は形を変えて、新しい価値を提供してくれるのかもしれない。

おわりに

この本を書いていて意外だったことがある。地域ならではの研究をやっている人が、地域出身ではなかったり、元からやっていた研究分野から離れたことで今に至ったりする場合がとにかく多かったことだ。本の執筆に取り組み始めた時は、地元出身の人が地域色の強い研究を担っていくものかと思っていたが、全くもってそうとは限らないらしい。元々ワインが好きでもなく、あまりお酒を飲まない家庭で育ったのに、製薬会社から転職したらいつしかワイン研究で知られる大学の学部長になっていたとか。都会生まれ都会育ちで、大学院修了後はヒトの免疫で研究キャリアを築こうとしていたのに、気づいたら田舎で何百頭ものウマを飼う研究センターの所長になっていたとか。研究や教育の特色も地域によって千差万別だが、人生の歩み方やキャリアの選択肢もまた多種多様で正解はないのだと、取材した先生方のライフストーリーを伺って実感した。

本書は「世界の」特徴的な研究を紹介したとはいえ、北半球、特に英語圏の研究に偏ってしまったのが少し心残りである。裕福な国のほうが研究費にも広報にも割ける資源が潤沢にあるという現実を目の当たりにしたような気がしたし、言語の壁を打破できればもっとたくさんのことが知られただろうにと、今後に向けた目標ができた。

本書の執筆にあたり、たくさんの方にお世話になりました。取材に応じてくださったマイケル・ジェノーバさん、S・J・キムさん、ブレット・アバーバネルさん、デイビッド・ブロックさん、ジャスティン・ストーパさん、デール・ブレマーさん、エリサ・カークルさん、フルヤ・ドーガンさん、アーロン・クラントンさん、クレオファス・セルバンシアさん、ショーン・ニューカマーさん、デイビッド・ホロホフさん、ブランドン・キャンフィールドさん、スティーブン・グラントさん、前田豊樹さん、カウシック・チャットパッディイェイさん、山田雄司さん、須川亜紀子さん、吉本充宏さん、ユッカ・トュックリさん、マーク・テスターさん、ジョナサン・ベンジャミンさん、編集者の齊藤智子さん、ご助言をいただいた菊地乃依瑠さん、國包ターヒューン　レイモンドさん、清水朋哉さんに改めてお礼を申し上げます。最後に、この本を手に取っていただいた読者の皆様に深く感謝いたします。

2023年1月

五十嵐　杏南

主な参考文献

Abarbanel, B., Bernhard, B., & Roberts, J. (2017, August). *Practical perspectives on gambling regulatory processes for study by Japan: Eliminating organized crime in Nevada casinos.* International Gaming Institute. https://www.unlv.edu/sites/default/files/page_files/27/JapanEliminatingOrganizedCrime.pdf

Abarbanel, B., Bernhard, B., Cho, R., & Philander, K. (2017, September). *Socio-economic impacts of Japanese integrated resorts.* International Gaming Institute. https://www.unlv.edu/sites/default/files/page_files/27/JapanSocialEconomicImpactsReport.pdf

Adam, E., Arthur, R., Barker, V., Franklin, F., Friedman, R., Grande, T., Hardy, M., Horohov, D. W., Howard, B., Page, A.E., Partridge, E., Rutledge, M., Scollay, M., Stewart, J.C., Vale, D.W. (2021). Expression of select mRNA in thoroughbreds with catastrophic racing injuries. *Equine Veterinary Journal, 54* (1), 63-73. https://doi.org/10.1111/evj.13423

Adam, E., Carter, C.N., Erol, E., Hause, B.M., Gilsenan, W.F., Horohov, D., Li, F., Li, G., Locke, S., Metcalfe, L., Morgan, J., Odemuyiwa, S.O., Slovis, N., Sreenivasan, C.C., Timoney, P., Uprety, T., Wang, D., & Zeng, L. (2021). Identification of a ruminant origin group b rotavirus associated with diarrhea outbreaks in foals. *Viruses, 13* (7), 1330. https://doi.org/10.3390/v13071330

Almaqhawi, A., Biswas, T.K., Chattopadhyay, K., Greenfield, S.M., Heinrich, M., Kaur, J., Kinra, S., Kundakci, B., Leonardi-Bee, J., Lewis, S.A., Nalbant, G., Panniyammakal, J., Tandon, N., & Wang, H. (2022). Effectiveness and safety of ayurvedic medicines in type 2 diabetes mellitus management: A systematic review and meta-analysis. *Frontiers in Pharmacology, 13.* https://doi.org/10.3389/fphar.2022.821810

Baggaley, P., Bailey, G., Beckett, E., Benjamin, J., Fairweather, J. Fowler, M., Hacker, J., Jeffries, P., Jerbić, K., Leach, J., McCarthy, J., McDonald, J., Morrison, P., O' Leary, M., Stankiewicz, F., Ulm, S., & Wiseman, C. (2020). Aboriginal artefacts on the continental shelf reveal drowned cultural landscapes in northwest Australia. *PLOS ONE, 15* (7), e0233912. https://doi.org/10.1371/journal.pone.0233912

Bhargava, S., Brahmachari, S.K., Chauhan, M., Chauhan, N., Chauhan, P., Chauhan, R., Ganeshan, S., Kaur, R., Sethi, T., Sharma, M., & Singh, H. (2018). Big data analysis of traditional knowledge-based ayurveda medicine. *Progress in Preventive Medicine, 3* (5), e0020. doi: 10.1097/pp9.0000000000000020

Bukhanov, B., Chuvilin, E., Istomin, V., Pissarenko, D., & Tipenko G. (2022). Simulating thermal interaction of gas production wells with relict gas hydrate-bearing permafrost. *Geosciences, 12* (3), 115. https://doi.org/10.3390/geosciences12030115

Cervancia, C., Chambers, J.K., Desamero, M.J., Estacio, M. A., Hideki, U., Kakuta, S., Kominami, Y., Kyuwa, S., Nakayama, H., Nakayama, J., Tang, Y., & Uchida, K. (2019). Tumor-suppressing potential of stingless bee propolis in in vitro and in vivo models of differentiated-type gastric adenocarcinoma. *Scientific Reports, 9*, 19635. https://doi.org/10.1038/s41598-019-55465-4

Corona, L.J., Nessler, J.A., Newcomer, S.C., & Simmons, G.H. (2017). Characterisation of regional skin temperatures in recreational surfers wearing a 2-mm wetsuit. *Ergonomics, 61* (5), 729-735. https://doi.org/10.1080/00140139.2017.1387291

Dempsey, J.P., Gharamti, I.E., Polojärvi, A., & Tuhkuri, J. (2021). Creep and fracture of warm columnar freshwater ice. *The Cryosphere, 15* (5), 2401-2413. https://doi.org/10.5194/tc-15-2401-2021

Doyle, E.K., Hynd, P., McGregor, B.A., & Preston, J.W.V. (2021). The science behind the wool industry. The importance of wool production from sheep. *Animal Frontiers, 11* (2), 15-23. https://doi.org/10.1093/af/vfab005

Doyle, E.K., Sommerville, P.J., & Walkden-Brown, S.W. (2021). Development, implementation and evaluation of a hub and spoke multi-institutional national model to tertiary education in sheep and wool science. *Animal Production Science, 61*, 1734-1743. https://doi.org/10.1071/AN21056

Horiuchi, T., Maeda, T., Tokunou, T., & Yamasaki, S. (2022). Hot spring bathing is associated with a lower prevalence of hypertension among Japanese older adults: A cross sectional study in Beppu. *Scientific Reports, 12*, 19462. https://doi.org/10.1038/s41598-022-24062-3

Jaberg, S. (2017, December). What makes modern luxury watchmaking tick? *Swissinfo.ch.* https://www.swissinfo.ch/eng/about-us/45607290

Sugawa, A. (2021, December). "Mini suka no josei kyara ga kōtsū keihatsu" Feminisuto to V chūbā no giron ga surechigau konpon riyū ["Miniskirt female character raises traffic awareness" Fundamental reason why feminists and V-tubers disagree]. *President Online*. https://president.jp/articles/-/52944

山田雄司・三重大学国際忍者研究センター. 2020『忍者学講義』中央公論新社.

山田雄司. 2017『忍者はすごかった　忍術書81の謎を解く』幻冬舎新書.

小山昌宏・須川亜紀子. 2014『アニメ研究入門　アニメを究める9つのツボ（増補改訂版）』現代書館.

須川亜紀子. 2021『2.5次元文化論　舞台・キャラクター・ファンダム』青弓社.

本書は書き下ろしです。

五十嵐杏南（いからし・あんな）

1991年愛知県生まれ。日英両言語でものを書くサイエンスライター。カナダのトロント大学で進化生態学と心理学を専攻。休学中に半年間在籍した沖縄科学技術大学院大学で執筆活動をはじめる。同大学卒業後、イギリスのインペリアル・カレッジ・ロンドンに進学しサイエンスコミュニケーションの修士号を取得。その後、京都大学の広報官を務め、2016年11月からフリーに。2019年9月、一般社団法人知識流動システム研究所フェロー就任。現在は、科学誌やオンラインメディアを中心に記事を執筆している。
著書に『ヘンな科学“イグノーベル賞”研究40講』（総合法令出版）、『生き物たちよ、なんでそうなった!?　ふしぎな生存戦略の謎を解く』（笠間書院）がある。

世界《せかい》のヘンな研究《けんきゅう》
――世界《せかい》のトンデモ学問《がくもん》19選《せん》

2023年1月10日　初版発行

著　者　五十嵐杏南《いからしあんな》

発行者　安部順一

発行所　中央公論新社
〒100-8152　東京都千代田区大手町1-7-1
電話　販売 03-5299-1730　編集 03-5299-1740
URL　https://www.chuko.co.jp/

DTP　今井明子
印　刷　大日本印刷
製　本　小泉製本

Printed in Japan　ISBN978-4-12-005617-8 C0040